Diretor editorial
Henrique Teles

Produção editorial
Eliana S. Nogueira

Arte gráfica
Bernardo C. Mendes

Tradução
Oscar Mendes

EDITORA GARNIER
Belo Horizonte
Rua São Geraldo, 53/67 - Floresta - Cep.: 30150-070 - Tel.: (31) 3212-4600
e-mail: vilaricaeditora@uol.com.br

LE NOUVEAU BESCHERELLE

A ARTE DE CONJUGAR

L´ART DE CONJUGUER

DICIONÁRIO FRANCÊS

OITO MIL VERBOS USUAIS

GARNIER
desde 1844

Dados Internacionais de Catalogação na Publicação (CIP) de acordo com ISBD

B554a Bescherelle

A Arte de Conjugar / Bescherelle. - Belo Horizonte - MG : Garnier, 2021.

161 p. ; 14cm x 21cm.

Inclui índice.
ISBN: 978-65-86588-80-4

1. Língua francesa. 2. Gramática. 3. Dicionário. I. Título.

CDD 440
2021-798 CDU 811.133.1

Índice para catálogo sistemático:

1. Literatura francesa 440
2. Literatura francesa 811.133.1

Prefácio da 32ª Edição Francesa

Hoje, como ontem, a conjugação dos verbos é ainda a principal dificuldade para quem deseja escrever e falar corretamente a língua francesa. Ora, quanto a esse ponto, é preciso reconhecer, as gramáticas não bastam. É necessário, por isso, suplementá-las.

Neste livro, os verbos estão classificados em *três grupos,* segundo a nomenclatura gramatical em vigor. Damos, em cada grupo, um verbo-tipo, que serve de modelo para a conjugação de grande número de verbos semelhantes, chamados verbos *regulares:*

Aimer (1° grupo)
Finir (2° grupo)
Rendre (3° grupo)

Todas as gramáticas procedem assim, mas ficam nisso. É verdade que fazem acompanhar tais modelos de compridas listas de observações, explicações, exceções, regras sobre a formação dos tempos, etc. Ora, a experiência prova-o todos os dias, perde-se um tempo infinito a tentar entender e memorizar todas essas observações, sem que se fique, depois disso, em condições de conjugar corretamente os verbos que oferecem certas dificuldades. Aliás, existe algo de mais arbitrário que as pretensas regras de formação dos tempos? "Troque-se — dizem elas — tal ou qual letra, ponha-se aquela outra, acrescente-se esta, suprima-se aquela, e estará formado tal ou qual tempo". Mas, de acordo com tal sistema, por que se não tirarão todos os tempos de um só, eliminando, acrescentando ou trocando determinada letra? Formar-se-ia, de modo igualmente lógico, por exemplo, *finissait* de *finir,* antes que de *finissant;* bastaria trocar *ir* por *issait.*

Aqui, todas as dificuldades são resolvidas de maneira prática, e não mais pela exposição de regras frequentemente mal compreendidas; põe-se diante dos olhos dos leitores num modelo. Assim, encontrar-se-á a conjugação *completa* de um verbo em –CER, em –GER, em –AYER, em –UYER, etc. bastará confrontar, mecanicamente, o verbo a ser conjugado com esse tipo, para ter a certeza de não se enganar.

A *Lista Final* dos verbos, desembaraçada de numerosos termos caídos em completo desuso, foi enriquecida, em compensação, de grande número de verbos novos, como *désintégrer, skier, synchroniser, téléviser,* etc., que hoje são de uso corrente. Cada um dos verbos dessa lista é acompanhado de um número que faz remissão ao modelo segundo o qual deve ser conjugado.

Não há que temer, portanto, nem perda de tempo nem equívocos.

O grande público encontrará neste livro ensinamentos preciosos e o meio quase infalível de evitar faltas grosseiras e, todavia, demasiado comuns.

PLANO DA OBRA

Primeira Parte

Segunda Parte

Estudo Gramatical do Verbo

1 Definição do Verbo

Dá-se o nome de *verbos* às palavras que indicam que uma pessoa ou coisa existe, está em tal ou qual estado, faz tal ou qual ação. *Pierre* EST *sage. Le chat* MANGE *la souris.*

MODO DE RECONHECER UM VERBO. — Verifica-se que uma palavra é verbo quando se pode pôr diante dela um dos pronomes JE, TU, IL, NOUS, VOUS, ILS, ou ainda as palavras *IL FAUT, IL NE FAUT PAS, ON PEUT, ON DOIT,* etc. Assim, *mentir, travailler, travaille, travaillons, etc.*, são verbos porque se pode dizer: *Je* TRAVAILLE, *nous* TRAVAILLONS, *il faut* TRAVAILLER.

2 Do Sujeito do Verbo

Chama-se assim a palavra que representa a pessoa, o animal ou a coisa *QUE EXISTE, QUE FAZ A AÇÃO* ou que *ESTÁ NO ESTADO* expresso pelo verbo: *La* TERRE *est ronde;* PAUL *étudie.* O sujeito de um verbo pode ser um SUBSTANTIVO, um PRONOME ou um INFINITIVO: *Le* TRAVAIL *ennoblit l'homme,* IL *allège ses peines;* TRAVAILLER *est un devoir.*

MODO DE ENCONTRAR O SUJEITO. — Para achar o sujeito de um verbo, faz-se, *ANTES* desse verbo, a pergunta *QUI EST-CE QUI?* para as pessoas, ou *QU'EST-CE QUI?* para as coisas: *Louise parle; QUI EST-CE QUI parle? Louise. — Le repentir efface tout; QU'EST-CE QUI efface? Le repentir.* — LOUISE e LE REPENTIR são os SUJEITOS.

3 Do Verbo e do Atributo

O *atributo* designa a qualidade, boa ou má, que se atribui ou se nega ao sujeito.

Aparece ordinariamente ligado ao sujeito pelos verbos *ÊTRE, PARAÎTRE, SEMBLER, PASSER POUR, ÊTRE REGARDÉ COMME,* etc.

O atributo pode ser:

1° Um *ADJETIVO: L'homme est* MORTEL;

2° Um *PARTICÍPIO: Cet enfant est* INTÉRESSÉ;

3° Um *SUBSTANTIVO: La vie est un* COMBAT;

4° Um *PRONOME: Le coupable, c'est* MOI;

5° Um *INFINITIVO: Vouloir, c'est* POUVOIR.

4 Do Complemento do Verbo

Os complementos do verbo são as palavras que TERMINAM ou COMPLETAM a idéia expressa pelo verbo: *J'ai visité* LE HAVRE *avec* MES PARENTS *pendant* LES VACANCES.

DIVERSOS TIPOS DE COMPLEMENTOS. — Do ponto de vista do SENTIDO, distinguem-se COMPLEMENTOS OBJETIVOS dos OUTROS COMPLEMENTOS: complementos atributivos, circunstanciais, etc.

a) COMPLEMENTO OBJETIVO. — Dá-se o nome de *complemento objetivo* à palavra ou às palavras que designam a pessoa, o animal ou a coisa sobre a qual se exerce ou se passa a ação expressa pelo verbo: *J'aime* MES PARENTS, *je flatte* MON CHIEN, *je vois* LA MER. Tais palavras — *parents, chien, mer* — são *COMPLEMENTOS OBJETIVOS.*

Quando os complementos objetivos não estão precedidos por uma preposição, são *complementos objetivos diretos: J'aime MON PÈRE.*

O complemento objetivo direto pode ser:

1° Um *SUBSTANTIVO: Je connais mon* DEVOIR;

2° Um *PRONOME: Je* VOUS *vois;*

3° Um *INFINITIVO: Je veux* SORTIR;

4° Uma *PROPOSIÇÃO: Je crois fermement* QUE L'ÂME EST IMMORTELLE.

Encontra-se o complemento objetivo direto de um verbo fazendo, depois desse verbo, a pergunta QUI, para *as pessoas,* e a pergunta QUOI, para *as coisas*:

Quando o complemento objetivo é precedido de preposição, expressa ou subentendida, é ele *complemento objetivo indireto: Je pense à vous: je vous parle.*

O complemento objetivo indireto pode ser:

1° Um *SUBSTANTIVO: Il renonce au* PLAISIR;

2° Um *PRONOME: Je pense à* LUI;

3° Um *INFINITIVO: Appliquez-vous à* FAIRE *votre devoir.*

b) OUTROS COMPLEMENTOS. — O verbo pode ser completado por palavras ou grupos de palavras menos indispensáveis ao sentido que os complementos objetivos. Na sua maioria, eles se classificam sob o título COMPLEMENTOS CIRCUNSTANCIAIS: eles permitem saber em que lugar, em que momento, de que maneira, por que meio, por que razão, com qual intenção, etc., se faz a ação expressa pelo verbo: *On doit aimer ses parents à* TOUT ÂGE *et de* TOUT SON COEUR. *Pierre m'a frappé avec un* BÂTON. Tais são complementos circunstanciais de lugar, de tempo, de modo, de meio, de causa, de finalidade, etc.

Encontram-se os complementos que assinalam essas circunstâncias perguntando depois do verbo: OÙ, QUAND, COMMENT, AU MOYEN DE QUOI, POURQUOI, DANS QUELLE INTENTION? *Étudiez pendant votre jeunesse*: *Étudiez quand? — Travaillez avec courage: Travaillez comment?*

Os complementos circunstanciais são *diretos* quando não estão precedidos de preposição: *Je pars* CE SOIR.

São *indiretos* quando estão precedidos de preposição: *Je vais* À PARIS.

Aos complementos circunstanciais liga-se o COMPLEMENTO ATRIBUTIVO, que designa a pessoa a quem se dá ou se recusa, em favor ou em detrimento de quem se faz a ação: *J'ai fait l'aumône à ce* PAUVRE.

É necessário deixar à parte o COMPLEMENTO AGENTE, especial do verbo passivo, e que indica por quem ou por que é feita a ação sofrida pelo sujeito. *Pierre est aimé de ses* PARENTS.

5 Da Pessoa nos Verbos

Existem três pessoas nos verbos.

A primeira pessoa é aquela que fala; é representada pelos pronomes *je,* no singular, *nous,* no plural.

A segunda pessoa é aquela a quem se fala; é representada pelos pronomes *tu,* no singular, *vous,* no plural.

A terceira pessoa é aquela de quem se fala; é representada pelos pronomes *il, elle,* etc., ou um substantivo no singular; *eux, elles,* etc., ou um substantivo no plural.

6 Do Número dos Verbos

Existem, nos verbos, dois *números: o singular — Je lis, l'enfant dort* — e *o plural — Nous lisons, les enfants dorment.*

7 Dos Tempos nos Verbos

São três as categorias principais de tempos:

1. O *presente* (PRÉSENT), que indica que a ação se faz ou que o estado perdura no próprio momento em que se fala. *Je mange* está no presente, porque a ação de comer se faz no momento em que se fala.

2. O *passado* (PASSÉ), que indica que a ação se fazia ou que já se fez, que o estado se verificava antes do momento em que se fala. *J'ai mangé* está no passado porque a ação de comer *(manger)* já está terminada. (Corresponde em português ao *pretérito).*

3. O *futuro* (FUTUR), que indica que a ação far-se-á ou que o estado permanecerá depois do momento em que se fala. *Je mangerai* está no futuro, porque a ação de comer só se fará mais tarde.

Tempos do passado

São cinco os tempos destinados a indicar os diversos tipos de passado, em francês:

1° O *imperfeito* (IMPARFAIT), que mostra que a ação, passada em relação ao momento em que se fala, ainda estava inacabada, imperfeita, em relação a outra ação igualmente passada: *Je* LISAIS *quand vous êtes entré.*

Indica, igualmente, o hábito, a repetição, no passado: *Je me* PROMENAIS *tous les jours.*

Emprega-se, enfim, para situar no passado uma descrição, uma pintura, um ato de certa duração: *L'onde* ÉTAIT *transparente. Le malade* S'AFFAIBLISSAIT *de jour em jour.*

2º O *passado simples* (PASSÉ SIMPLE), que mostra que a ação teve lugar numa época passada, mais ou menos determinada, mas totalmente acabada. É o tempo que se refere a acontecimentos passados: *En huit ans César* CONQUIT *la Gaule.* (Corresponde, em português, ao *pretérito perfeito simples).*

3º O *passado composto* (PASSÉ COMPOSÉ), que designa uma ação passada que tem certa relação com o momento presente, seja por causa de seus resultados, seja por tal ou qual dos seus aspectos: *Il y a deux mille ans que César* A CONQUIS *la Gaule.* (Costuma-se traduzir em português pelo *pretérito perfeito simples).*

4º O *passsdo anterior* (PASSÉ ANTÉRIEUR), que designa uma ação passada, a qual teve lugar antes de outra igualmente passada, quando esta última se exprime pelo *passé simple: Quand* J'EUS DÎNÉ, *je partis.* (Não tem correspondente exato em português).

5º O *mais-que-perfeito* (PLUS-QUE-PARFAIT), que designa uma ação passada que teve lugar antes de outra igualmente passada, quando esta última se exprime pelo *imparfait* (assinalando a repetição, a duração ou o não estar acabada): *Quand* J'AVAIS DÎNÉ, *j'allais me promener.* (Em certos casos, traduz-se em português pelo *mais-que-perfeito composto).*

Tempos simples e tempos compostos

Os tempos dos verbos, na forma ativa, podem ser *simples* ou *compostos.*

Os tempos simples são aqueles em que o verbo se exprime por uma única palavra, não compreendido o pronome. *Chanter, chantant, je chante, je chanterai, elle chanta, nous dînerons,* são tempos simples.

Os tempos compostos são aqueles em que o verbo se exprime por mais de uma palavra: o auxiliar AVOIR ou ÊTRE e o *particípio passado* do verbo que se conjuga. *Avoir chanté, nous avons lu, ils auraient dansé,* são tempos compostos.

8 Do Modo dos Verbos

Chamam-se *modos* as diferentes inflexões que o verbo toma, para exprimir de que maneira, em que circunstância, se faz a ação, se apresenta o estado. Existem seis modos em francês:

1° O *indicativo* (INDICATIF), que afirma que a coisa é, que foi ou que será: *Je* LIS, j'AI LU, *je* LIRAI.

2° O *condicional* (CONDITIONNEL), que exprime a idéia de que uma coisa seria ou teria sido, mediante uma condição: *Je* LIRAIS *si j'avais un livre; j'*AURAI LU *si j'avai un livre.* Exprime igualmente a eventualidade, a afirmação atenuada.

3° O *imperativo* (IMPÉRATIF), que exprime uma *súplica,* uma *ordem,* uma *defesa: Lis, mange, sors, ne viens pas.*

4° O *subjuntivo* (SUBJONCTIF), que apresenta a ação ou o estado do sujeito sob a dependência de outro verbo já enunciado, exprimindo a *necessidade,* a *vontade,* o *desejo,* o *temor* e a *dúvida: Il faut* qu'*il VIENNE; je veu*x qu*'il* PARTE; *je désire* qu*'il* FASSE *cela.*

5° O *infinitivo* (INFINITIF), que exprime a ação ou o estado do sujeito de modo vago, sem número nem pessoa: trata-se mesmo, muitas vezes, de verdadeiro substantivo verbal: LIRE, MANGER, DORMIR.

6° O *particípio* (PARTICIPE) que exprime a idéia verbal sob a forma de adjetivo, sem características nem de pessoa nem de número: AIMANT, *aimé.* (Corresponde, no primeiro exemplo, ao *gerúndio,* e no segundo, ao *particípio).*

Modos pessoais e modos impessoais

Dividem-se os modos dos verbos em *modos pessoais* e *modos impessoais*

Os MODOS PESSOAIS são aqueles em que o verbo varia segundo a pessoa ou o número do sujeito; nesses modos, acrescentam-se ao verbo os pronomes *je, tu, il, nous, vous, ils,* ou um substantivo.

Os modos pessoais são o *indicatif,* o *conditionnel,* o *impératif* e o *subjonctif:* JE COURS, JE PARTIRAIS, SORS, *que* JE SORTE.

Os MODOS IMPESSOAIS são aqueles em que o verbo não aparece sujeito a tais variações, isto é, não concorda em pessoa com o sujeito.

Os modos impessoais são o *infinitif* e o *participe*: AIMER, AVOIR AIMÉ, AIMANT, AIMÉ.

9 Das Diferentes Espécies de Verbos

Os verbos, considerados quanto à sua forma, dividem-se em quatro classes: os verbos *ativos, passivos, pronominais* e *impessoais.*

a) Verbos da forma ativa

O verbo está na forma ativa quando o sujeito *exerce a ação: Je* CARESSE *mon chien.*

Os verbos, na forma ativa, podem ser *transitivos* ou *intransitivos*[1].

O verbo é *transitivo* quando a ação exercida pelo sujeito se faz sobre um complemento objetivo.

Se o verbo transitivo tem um complemento objetivo *DIRETO,* é *transitivo direto: J'*AIME *mon père.*

Se tem apenas um complemento objetivo *INDIRETO,* é *transitivo indireto: Je* PENSE *à mon père*[2].

O verbo é *intransitivo* quando exprime um estado ou uma ação que reside no sujeito, sem ser transmitido a um *COMPLEMENTO OBJETIVO, DIRETO* ou *INDIRETO: La mer* MUGIT; *il* DORT *profondément.*

NOTA — Um verbo que é ordinariamente transitivo pode, *ACIDENTALMENTE, ser intransitivo,* quando é empregado sem complemento objetivo: *L'éleve* LIT, ÉCRIT *et* ÉTUDIE *avec attention.*

1. O adjetivo: *transitivo,* que vem do latim *transire,* significa: *que faz passar; intransitivo,* que tem a mesma origem, significa: *que não faz passar.*
2. A Gramática da Academia Francesa, discordando, nesse ponto, da Nova Nomenclatura Gramatical; só considera como *transitivos* os verbos que tenham um complemento objetivo *direto.*

b) Verbos da forma passiva

O verbo encontra-se na forma passiva quando o sujeito SOFRE ou RECEBE a ação expressa por esse verbo e exercida por um COMPLEMENTO AGENTE: *Mon chien* EST CARESSÉ *par moi.*

A *FORMA PASSIVA* dos verbos transitivos outra coisa não é senão o *VERBO être SEGUIDO PELO PARTICIPE PASSÉ* de um verbo transitivo: ÊTRE AIMÉ, ÊTRE ENNUYÉ.

Para fazer passar uma frase da *FORMA ATIVA* para a *FORMA PASSIVA,* toma-se o COMPLEMENTO OBJETIVO DIRETO do verbo transitivo para transformá-lo em SUJEITO do verbo na forma passiva, empregando o auxiliar ÊTRE juntamente com o verbo transitivo.

FORMA ATIVA: *La fortune aveugle l'homme.*

FORMA PASSIVA: *L'homme* EST AVEUGLÉ *par la fortune.*

Como se vê, o sujeito do verbo transitivo passa a ser, *NA FORMA PASSIVA,* complemento agente.

Reciprocamente, para fazer com que um verbo passe da FORMA PASSIVA para a ATIVA, toma-se o *complemento agente* do verbo na forma passiva e se faz dele o SUJEITO ativo do verbo transitivo:

FORMA PASSIVA: *Vercingétorix FUT VAINCU par César.*

FORMA ATIVA: *César* VAINQUIT *Vercingétorix.*

c) Verbos na forma pronominal

O *VERBO PRONOMINAL* é um verbo que se conjuga com dois pronomes da mesma pessoa, os quais designam o mesmo ser.

O primeiro desses pronomes é *SUJEITO,* o segundo é *COMPLEMENTO:* JE ME *lève: je* (sujeito) *lève qui?* MOI, substituído por *ME,* complemento objetivo direto; TU TE *nuis: tu* (sujeito) *nuis à qui*? À TOI, substituído por TE, complemento objetivo indireto.

O sujeito do verbo pronominal pode ser um substantivo: PAUL *se lève.*

VERBOS PRONOMINAIS REFLEXIVOS. — VERBOS PRONOMINAIS RECÍPROCOS. — Quando a ação exercida pelo sujeito se exerce ou se reflete sobre ele mesmo, diz-se que o verbo é PRONOMINAL REFLEXIVO *Je me lève.*

Quando vários sujeitos exercem *uns sobre os outros* a ação designada pelo verbo, diz-se que o verbo é PRONOMINAL RECÍPROCO: *Le chien et le chat* SE BATTENT.

VERBOS ESSENCIALMENTE PRONOMINAIS; ACIDENTALMENTE PRONOMINAIS. — Certos verbos só se empregam na forma pronominal; são os chamados verbos *ESSENCIALMENTE PRONOMINAIS: Se repentir, s'abstenir, s'emparer.*

Outros verbos só são pronominais por acaso, por *acidente:* são chamados de *ACIDENTALMENTE PRONOMINAIS: Se cacher, se flatter,* etc.

Nos *TEMPOS COMPOSTOS* dos verbos acidentalmente pronominais, o auxiliar *ÊTRE* sempre aparece em lugar do auxiliar *AVOIR.* É necessário lembrar sempre essa substituição, para fazer a concordância do particípio passado.

d) Verbos na forma impessoal

Os verbos impessoais são aqueles cujo sujeito IL não representa *COISA ALGUMA: il pleut, il neige.*

Os verbos impessoais empregam-se apenas na terceira pessoa do singular.

Distinguem-se:

1° Os verbos *ESSENCIALMENTE IMPESSOAIS,* isto é, os verbos que só se podem conjugar na forma impessoal, como *IL FAUT.*

2° Os verbos *ACIDENTALMENTE IMPESSOAIS,* como *IL FAIT BEAU,* IL Y A *des gens vertueux,* IL ARRIVE *un malheur,* etc. *Il fait, il y a, il arrive* vêm dos verbos transitivos *faire* e *avoir,* e do verbo intransitivo *arriver.*

CONJUGAÇÃO. — Os verbos impessoais não possuem *impératif.*

Nos *TEMPOS COMPOSTOS,* os verbos impessoais tomam ora o auxiliar AVOIR — *il a neigé* — ora o auxiliar ÊTRE — *il n'est rien résulté de vos démarches.*

Observação. — O sujeito gramatical IL, por não representar nem uma pessoa, nem uma coisa, não é o sujeito real; este último é colocado depois do verbo: *Il faut travailler* é o mesmo que *travailler est nécessaire; IL* é sujeito *gramatical, TRAVAILLER* é sujeito *real.*

10 Do Radical e da Terminação do Verbo

Encontram-se, num verbo, duas partes, o RADICAL e a TERMINAÇÃO; O radical fica invariável, a terminação varia.

Para encontrar o radical de um verbo, basta suprimir dele uma das terminações do infinitivo: ER, IR, OIR e RE. Ex.: ER, em *chantER,* IR em rougIR, etc.; radical: *chant, roug.*

11 Dos Três Grupos de Verbos

Existem, em francês, três grupos de VERBOS, que se distinguem principalmente pelas terminações do infinitivo, da primeira pessoa do *indicatif présent,* do *participe présent.*

O primeiro grupo compreende os verbos terminados em *ER* no infinitivo e *E* na primeira pessoa do *indicatif présent: Aim*ER, *j'aimE.*

O segundo grupo compreende os verbos terminados por *IR* e tendo o *indicatif présent* em *IS* e o *participe présent* em *ISSANT: FinIR, je finIS, finISSANT.*

O terceiro grupo compreende todos os demais verbos:

1° O verbo *aller.*

2° Certos verbos em *IR* que não têm o *indicatif présent* em *IS* e o *participe présent* em *ISSANT: Cueill*IR, *partIR.*

3° Os verbos terminados em *OIR* ou *RE* no infinitivo: *Recev*OIR, *rendRE.*

NOTA — Os verbos novos são quase todos do primeiro grupo: *téléviser, télégraphier, radiographier*, etc.

O terceiro grupo, com os seus quase 350 verbos é uma conjugação morta. Ao contrário dos dois primeiros grupos, que são de tipo regular, é ele que conta com o maior número de exceções e irregularidades de toda a conjugação francesa.

12 Dos Verbos Auxiliares

Há dois verbos que se denominam de *auxiliares* porque servem para conjugar todos os demais; são os verbos AVOIR e ÊTRE. (Para o emprego desses verbos, ver nota à página 100)

13 Da Concordância do Verbo

a) Modos pessoais

O verbo concorda em número e pessoa com o seu sujeito. Ex.: *tu* LIS; *les enfants JOUENT; il s'en prit* à MOI QUI *n'en* POUVAIS *mais.*

Quando há vários sujeitos na mesma pessoa, o verbo toma o plural dessa pessoa. Mas permanece no singular se o último sujeito singular representa ou absorve todos os outros. Ex.: *Louison et Frédéric* S'EN VONT *à l'école.* Mas: *Femme, moine, vieillard, tout* ÉTAIT DESCENDU.

Quando há vários sujeitos de diferentes pessoas, o verbo vai para o plural e concorda com a pessoa que tem prioridade (sobressaindo a segunda à terceira e a primeira sobre as duas outras). Ex.: *Toi et moi en* AVONS *suffisamment parlé.*

Se o sujeito é um Substantivo coletivo no singular ou uma expressão adverbial denotando pluralidade, o verbo pode concordar segundo o sentido, indo para o plural. Ex.: *Une nuée de sauterelles s'*ABATTIT ou *s'*ABBATIRENT.

Mas, contrariamente à lógica, dir-se-á. *Plus d'un s'en repentira; moins de deux jours suffiront à le remettre sur pied.*

A concordância se faz de preferência com o sujeito real, na expressão CE SONT...

CE SONT *les meilleurs qui l'emportent.*

b) Participe passé

1. Empregado sozinho, o *participe passé* concorda, como se fosse um adjetivo, em gênero e número. Ex.: *vérification faite, il dut reconnaître son erreur.*

2. Empregado com o auxiliar AVOIR, concorda com o complemento objetivo direto, se este está colocado antes dele (com maior frequência, esse complemento objetivo direto tem a forma do pronome pessoal LE, LA, LES, ou do pronome relativo QUE). Quando o complemento objetivo direto está colocado depois do verbo, ou quando não há complemento objetivo direto, o *participe* fica invariável. Ex.: *Ces enfants* ONT LU *avec beaucoup d'attention. Ils* ONT LU *des fables de La Fontaine. Celles qu'ils* ONT LUES *les* ONT *vivement* INTÉRESSÉS.

3. Empregado com o auxiliar ÊTRE, o *participe passé* concorda com o sujeito do verbo. Ex.: *Les enfants* SONT INTÉRESSÉS *par les fables de La Fontaine quand elles* SONT *bien* LUES.

CASOS PARTICULARES — 1. Em certos verbos pronominais (reflexivos e recíprocos), o auxiliar ÊTRE é posto em lugar do auxiliar AVOIR; neste caso o *participe passé* concorda como se estivesse conjugado com AVOIR; Ex.: *Elle* s'EST BLESSÉE (= *elle A BLESSÉ ELLE-MÊME*).

Mas se escreverá corretamente: *Elle s'*EST *le doigt* (= *elle* A COUPÉ *le doigt à elle-même).*

Em *ils se* SONT ENFUIS a concordância se faz normalmente com o sujeito, porque não se pode dizer: *ils* ONT ENFUI *eux mêmes.*

2. Quando um *participe passé* conjugado com o auxiliar AVOIR é seguido por um *infinitivo,* é preciso aplicar as regras anteriores distinguindo bem o complemento objetivo direto do particípio e o do infinitivo.

Ex.: *La fable que j'*AI ENTENDU *lire (lire la fable). Les enfants que j'*AI ENTENDUS *lire (j'ai entendu les enfants).*

c) Participe présent

Empregado como verbo, isto é, exprimindo uma ação, acompanhado de complementos ou precedido de EM, o *participe présent* é invariável.

Empregado como adjetivo, isto é, exprimindo uma qualidade ou um estado, concorda em gênero e número com o substantivo ao qual se refere.

Ex.: *L'orateur aborda des questions* INTÉRESSANT *patrons et ouvriers. Il donna des précisions* INTÉRESSANTES.

OBSERVAÇÃO — *Os participes présents* terminados por QUANT ou por GUANT são escritos com CANT OU GANT, quando tomados como adjetivos ou substantivos.

Ex.: *Il dompta ce bêtes em les* FATIGUANT; *ce fut um travail* FATIGANT.

TABLEAU DES CONJUGAISONS

Deuxième section	-voir	51	*recevoir*
Verbes en -OIR		52	*voir*
		53	*savoir*
		54	*pouvoir*
		55	*pourvoir*
		56	*devoir*
		57	*mouvoir*
		58	*pleuvoir*
	-loir	59	*falloir*
		60	*valoir*
		61	*vouloir*
		62	*asseoir*
	-seoir	63	*seoir, messeoir*
		64	*surseoir*
	-choir	65	*choir, échoir, déchoir*

Troisième section:	**-endre, andre**		
	-erdre, -ordre	66	*rendre*
Verbes en -RE	**-ondre, -ompre**	67	*prendre*
	-eindre	68	*peindre*
	-aindre	69	*craindre*
	-aincre	70	*vaincre*
	-oindre	71	*joindre*
	-aire	72	*faire*
		73	*plaire*
		74	*traire*
	-aître	75	*connaître*
		76	*naître*
		77	*paître*
	-ettre	78	*mettre*
	-attre	79	*battre*
	-oire	80	*croire*
		81	*croître*
	-oître	82	*boire*
	-oudre	83	*absoudre*
		84	*coudre*
		85	*moudre*
	-vre	86	*suivre*
		87	*vivre*
	-ore	88	*clore*
	-ure	89	*conclure*
	-ire	90	*lire*
		91	*dire*
		92	*médire*
		93	*maudire*
		94	*écrire*
		95	*rire*
		96	*confire*
		97	*cuire*
		98	*frire*

GRAMMAIRE DU VERBE

1 DÉFINITION DU VERBE

On appelle *verbes* les mots qui expriment qu'une personne ou une chose existe, est dans tel ou tel état, fait telle ou telle action *Pierre* **est** *sage. Le chat* **mange** *la souris.*

Manière de reconnaître un verbe. — On reconnaît qu'un mot est un verbe quand on peut mettre devant ce mot un des pronoms: ***je, tu, il, nous, vous, ils,*** ou encore les mots: ***il faut, il ne faut pas, on peut, on doit,*** etc. — Ainsi: *mentir, travailler, travaille, travaillons,* etc., sont des verbes parce qu'on peut dire: *Je* **travaille**, *nous* **travaillons,** il *faut* **travailler.**

2 DU SUJET DU VERBE

On appelle ainsi le mot representant la personne, l'animal, ou la chose ***qui* existe, *qui fait l'action*** ou ***qui est dans l'état*** exprimé par le verbe: La **terre** *est ronde:* **Paul** *étudie.* Le sujet d'un verbe peut être un **nom, un pronom,** ou un **infinitif**: *Le* **travail** *ennoblit l'homme,* **il** *allège* ses *peines;* **travailler** *est un devoir.*

Manière de trouver le sujet. — Pour *trouver* le sujet d'un verbe, on fait, **avant** ce verbe, la question qui est-ce *qui*? pour les personnes, ou **qu'est-ce qui?** pour les choses: *Louise parle:* ***qui* est-ce *qui*** *parle*? *Louise. — Le repentir efface* tout; ***qu'est-ce qui*** *efface? Le repentir.* — **Louise, le repentir sont les sujets.**

3 DU VERBE ET DE L'ATTRIBUT

L' *attribut* marque la qualité, bonne ou mauvaise, que l'on accorde ou que l'on refuse au sujet.

Il est ordinairement uni au sujet par les verbes être, **paraître, *sembler, passer* pour,** *être* **regardé comme**, etc.

L'attribut peut être:

1° Un ***adjectif***: *L'homme est* **mortel;**
2° Un ***participe***: *Cet enfant* est **intéressé;**
3° Un ***nom:*** *La vie est* un **combat;**
4° Un ***pronom:*** *Le coupable, c'est* **moi;**
5° Un ***Infinitif:*** *Vouloir, c'est* **pouvoir.**

4 DU COMPLÉMENT DU VERBE

Les *compléments du verbe* sont les mots qui **achèvent** ou complètent l'idée exprimée par le verbe: *J'ai visité* **Le Havre** *avec* **mes parents** *pendant* **les vacances.**

Diverses sortes de compléments. — Au point de vue du **sens,** on distingue les *compléments d'objet* des *autres compléments*: compléments d'attribution, de circonstance, etc.

a) **Compléments d'objet.** — On appelle complément *d'objet* le mot ou les mots désignant la personne, l'animal ou la chose sur lesquels s'exerce ou passe l'action exprimée par le verbe: J'aime **mes parents,** je *flatte* **mon chien,** *je vois* **la mer.** Ces mots: *parents, chien, mer,* sont des ***compléments d'objet.***

Lorsque les compléments d'objet ne sont pas précédés d'une preposition, ils sont *compléments d'objet direct*: *J'aime* **mon père.**

Le complément d'objet direct peut être:

1° Un ***nom:*** Je *connais mon* **devoir;**
2° Un ***pronom:*** *Je* **vous** *vois;*
3° Un ***Infinitif:*** *Je* veux **partir;**
4° Une ***proposition***: *Je crois fermement* **que l'âme est immortelle.**

On trouve le complément d'objet direct d'un verbe en posant, après ce verbe, la question **qui** pour les *personnes,* la question **quoi** pour les *choses.*

Lorsque le complément d'objet est précédé d'une préposition exprimée ou sous-entendue, il est *complément d'objet indirect*: *Je pense* à **vous;** je **vous** *parle.*

Le complément d'objet indirect peut être:

1° Un ***nom***: Il *renonce au* **plaisir.**
2° Un ***pronom***: Je *pense* à **lui**.
3° Un ***infinitif:*** *Appliquez-vous à* **faire** *votre devoir.*

b) **Autres compléments.** — Le verbe peut être complété par des mots ou des groupes de mots moins indispensables au sens que les compléments d'objet. On les range pour la plupart sous le titre de **compléments circonstanciels:** ils font connaître à quel endroit, à quel moment, de quelle manière, par quel moyen, pour quelle raison, dans quelle intention, etc... se fait l'action exprimée par le verbe: *On doit aimer* ses *parents à* **tout âge** et *de* **tout son coeur.** *Pierre m'a frappé avec un* **bâton.** Ce sont les compléments circonstanciels de lieu, de temps, de manière, de moyen, de cause, de but, etc...

On trouve les compléments qui marquent ces circonstances en posant après le verbe une des questions: **où, quand, comment, au moyen de quoi, pourquoi, dans quelle intention?** *Étudiez pendant votre jeunesse:* Étudiez quand?... *Travaillez avec courage:* Travaillez comment?...

Les compléments circonstanciels sont *directs,* s'ils ne sont pas précédés d'une préposition: *Je pars* **ce soir.**

Ils sont *indirects,* s'ils sont précédés d'une préposition: *Je vais* à Paris.

Aux compléments circonstanciels se rattache le **complément d'attribution** qui désigne la personne à qui on donne ou on refuse, en faveur ou au détriment de qui l'action se fait: *J'ai fait l'aumône* à ce **pauvre.**

Il faut mettre à part le **complément d'agent,** spécial au verbe passif et qui indique par qui ou par quoi est faite l'action subie par le sujet *Pierre est aimé de ses* **parents.**

5 DE LA PERSONNE DANS LES VERBES

Il y a trois personnes dans les verbes.

La première personne est celle qui parle: elle est représentée par les pronoms: *je* au singulier, nous au pluriel.

La deuxième personne est celle à qui l'on parle: elle est représentée par les pronoms: *tu* au singulier; *vous* au pluriel.

La troisième personne est celle de qui l'on parle: elle est représentée par les pronoms: *il, elle,* etc., ou un nom au singulier: *eux, elles,* etc., ou un nom au pluriel.

6 DU NOMBRE DANS LES VERBES

Il y a, dans les verbes, deux *nombres: le singulier: Je lis, l'enfant dort; le pluriel: Nous lisons, les enfants dorment.*

7 DES TEMPS DANS LES VERBES

Il y a trois catégories principales de temps:

1. Le **présent** qui indique que l'action se fait, ou que l'état dure au moment même où l'on parle. Je *mange* est au présent, parce que l'action de manger se fait au moment où l'on parle.

2. Le passé qui indique que l'action se faisait ou s'est faite, que l'état durait avant le moment ou l'on parle. *J'ai mangé* est au passé, parce que l'action de manger a *déjà* été accomplie.

3. Le **futur,** qui indique que l'action se fera ou que l'état durera après le moment où on parle. *Je mangerai* est au futur, parce que l'action de manger ne se fera que plus tard.

TEMPS DU PASSÉ

Il y a cinq temps destinés à indiquer les diverses sortes de passé.

1° L'**imparfait,** qui marque que l'action, passée par rapport au moment ou on parle, était encore inachevée, imparfaite, par rapport à une autre action également passée: *Je* **lisais** *quand vous êtes entré.*

Il marque également l'habitude, la répétition dans le passé: *Je me* **promenais** *tous les jours.*

Il s'emploie enfin pour situer dans le passé une description, une peinture, une action d'une certaine durée: *L'onde* **était** *transparente. Le malade* **s'affaiblissait** *de jour en jour.*

2° Le **passé simple** qui marque que l'action a eu lieu dans une époque passée, plus ou moins déterminée, mais totalement écoulée. C'est le temps du récit des événements passes: *En huit ans César* **conquit** *la Gaule.*

3° Le **passé composé** qui marque une action passée ayant quelque rapport avec le moment présent soit par ses résultats soit par tel ou tel de ses aspects: *Il y a deux mille ans que César* **a conquis** *la Gaule.*

4° Le **passé antérieur** qui marque une action passée ayant eu lieu avant une autre également passée quand celle-ci s'exprime par le passé simple: *Quand* **j'eus dîné,** *je* partis.

5° **Le plus-que-parfait,** qui marque une action passée ayant eu lieu avant une autre également passée quand celle-ci s'exprime par l'imparfait (marquant la répétition, la durée, ou l'inachèvement): *Quand* **j'ayais diné,** *j'allais me promener.*

TEMPS SIMPLES ET TEMPS COMPOSÉS

Les temps des verbes à la forme active sont *simples* ou *composés.*

Les temps simples sont ceux où le verbe s'exprime par un seul mot, non compris le pronom. *Chanter, chantant, je chante, je chanterai, elle chanta, nous dinerons,* sont des temps simples.

Les temps composés sont ceux ou le verbe s'exprime par plusieurs mots: l'auxiliaire *avoir* ou *être* et le *participe passé* du verbe que l'on conjugue. *Avoir chanté, nous avons lu, ils auraient danse,* sont des temps composés.

8 DU MODE DANS LES VERBES

On appelle *modes* les différentes inflexions que prend le verbe pour exprimer de quelle manière, dans quelles conditions l'action se fait, l'état se présente. Il y a six modes:

1° L'**indicatif,** qui affirme que la chose *est,* qu'elle *a éte,* ou qu'elle *sera: Je* **lis,** *j'***ai lu,** *je* **lirai.**

2° **Le conditionnel,** qui exprime qu'une chose *serait* ou *aurait été,* moyennant une condition: *Je* **lirais** *si j'avais un livre;* j'**aurais lu** *si j'avais eu un livre.* Il exprime également l'éventualité, l'affirmation atténuée.

3° L'**impératif,** qui exprime une *prière,* un *commandement,* une *défense:* **Lis, mange, sors, ne viens pas.**

4° Le **subjonctif,** qui présente l'action ou l'état du sujet sous la dépendance d'un autre verbe déjà énoncé et exprimant la *nécessité,* la *volonté,* le *désir, la crainte* et le *doute: Il faut* qu'*il* **vienne;** *je veux* qu'il **parte;** *je désire* qu'*il* **fasse cela.**

5° L'**infinitif,** qui exprime l'action ou l'état du sujet d'une manière vague, sans nombre, ni personne; c'est souvent un véritable nom verbal: **Lire, manger. dormir.**

6° Le **participe** qui exprime l'idée verbale sous forme d'adjectif sans caractéristiques de personne et de nombre: **Aimant, aimé.**

MODES PERSONNELS ET MODES IMPERSONNELS

On divise les modes des verbes en: modes personnels et *modes impersonnels.*

Les **modes personnels** sont ceux où le verbe varie selon la personne ou le nombre du sujet; dans ces modes, on joint au verbe l'un des pronoms **je, tu, il, nous, vous, ils,** ou un nom.

Les modes personnels sont: l'*indicatif,* le *conditionnel,* l'*impératif* et le *subjonctif:* **je cours, je partirais, sors,** *que* **je sorte.**

Les **modes impersonnels** sont ceux où le verbe n'est point soumis a ces variations, c'est-à-dire ne s'accorde point en personne avec le sujet.

Les modes impersonnels sont: l'*infinitif* et le *participe*: **Aimer, avoir aimé, aimant, aimé.**

9 DES DIFFÉRENTES ESPÈCES DE VERBES

Les verbes, si l'on considère leur forme, se divisent en quatre classes: les verbes *actifs, passifs, pronominaux,* impersonnels.

A *VERBES A LA FORME ACTIVE*

Le verbe est à la forme active lorsque le sujet *fait l'action*: Je **caresse** *mon chien.*

Les verbes à la forme active peuvent être *transitifs* ou *intransitifs*[1].

Le verbe est *transitif* lorsque l'action faite par le sujet passe sur un complément d'objet.

Si le verbe transitif a un complément d'objet ***direct,*** il est *transitif direct:* J'**aime** *mon père.*

S'il a seulement un complément d'objet **indirect,** il est transitif indirect: *Je* **pense** *à mon père*[2].

Le verbe est intransitif s'il exprime un état ou une action qui demeurent dans le sujet, sans être transmis à un **complément *d'objet,* direct ou indirect:** *La mer* **mugit;** *il* **dort** *profondément.*

Nota. — Un verbe ordinairement transitif peut être ***accidentellement*** intransitif, quand il est employé sans complément d'objet: *L'élève* **lit, écrit** et **étudie** *avec attention.*

B *VERBES A LA FORME PASSIVE*

Le verbe est à la forme passive lorsque le sujet **subit, reçoit** l'**action** exprimée par ce verbe et faite par un **complément d'agent:** *Mon chien* **est caressé** *par moi.*

La **forme passive** des verbes transitifs n'est autre chose que le *verbe être* **suivi du participe passé** d'un verbe transitif: **Être aimé, être ennuyé.**

Pour faire passer une phrase de la ***forme active*** à la ***forme passive,*** on prend le ***complément d'objet direct*** du verbe transitif et on en fait le sujet du verbe à la forme passive, en employant l'auxiliaire *être* au même temps que le verbe transitif.

FORME ACTIVE: La fortune **aveugle** l'homme.
FORME PASSIVE: L'homme **est aveuglé** par la fortune.

Comme on le voit, le sujet du verbe transitif deviant, ***à la forme passive,*** complément d'agent.

Réciproquement, pour faire passer un verbe du ***passif*** à **l'*actif,*** on prend le **complément d'agent** du verbe à la forme passive, et on en fait le **sujet** actif du verbe transitif:

1. L'adjectif: transitif, qui vient du latin *transire,* signifie: qui fait *passer;* intransitif, qui a même origine, signifie qui ne fait pas passer.
2. La Grammaire de l'Académie, *en* désaccord sur *ce* point avec la Nouvelle nomenclature grammaticale, ne considere comme transitifs que les verbes ayant un complément d'objet direct.

FORME PASSIVE: Vercingétorix **fut vaincu** par César.
FORME ACTIVE: César **vainquit** Vercingétorix.

C VERBES A LA FORME PRONOMINALE

Le ***verbe pronominal*** est un verbe qui se conjugue avec deux pronoms de la même personne désignant le même être.

Le premier de ces pronoms est ***sujet,*** le second est ***complément*: Je me** *lève:* je (*sujet*) lève qui? moi, remplacé par me, complément d'objet direct; **tu te** *nuis*: tu *(sujet)* nuis à qui? à *toi,* remplacé par *te,* complément d'objet indirect.

Le sujet du verbe pronominal peut être un nom: **Paul** se *lève.*

Verbes pronominaux réfléchis. — **Verbes pronominaux réciproques.** — Lorsque l'action faite par le sujet passe, se réfléchit sur le sujet lui-même, on dit que le verbe est **pronominal réfléchi:** Je me lève.

Lorsque plusieurs sujets font *les uns sur les autres* l'action marquée par le verbe, on dit que le verbe est **pronominal réciproque:** *Le chien* et le *chat* **se battent.**

Verbes essentiellement pronominaux; accidentellement pronominaux. — Certains verbes ne sont employés qu'à la forme pronominale: ils sont appelés verbes ***essentiellement pronominaux***: *Se repentir, s'abstenir, s'emparer.*

D'autres verbes ne sont pronominaux que par hasard, par *accident*: ils sont dits *accidentellement pronominaux*: Se *cacher, se flatter,* etc.

Dans les ***temps composés*** des verbes accidentellement pronominaux, l'auxiliaire *être* est toujours mis à la place de l'auxiliaire ***avoir.*** Il faut toujours penser à ce remplacement pour faire l'accord du participe passé.

D VERBES A LA FORME IMPERSONNELLE

Les **verbes *impersonnels*** sont ceux dont le sujet **il** ne représente ***rien:*** *Il pleut, il neige.*

Les verbes impersonnels ne s'emploient qu'à la 3e personne du singulier.

On distingue:

1º Les verbes ***essentiellement impersonnels,*** c'est-à-dire qui ne peuvent se coniuguer qu'à la forme impersonnelle, comme: ***Il faut.***

2° Les verbes ***accidentellement Impersonnels*** comme: ***Il fait beau,*** il y a des gens vertueux, il arrive *un malheur,* etc. *Il fait, il y a, il arrive* viennent des verbes transitifs *faire* et *avoir* et du verbe intransitif *arriver*

Conjugaison. — Les verbes impersonnels n'ont pas d'impératif.

Dans les **temps composés,** les verbes impersonnels prennent soit l'auxiliaire **avoir:** Il **a** neigé; soit l'auxiliaire **être:** *Il n'****est*** *rien résulté de vos démarches.*

Remarque. — Le sujet grammatical il ne représentant ni une personne, ni une chose, n'est pas le sujet réel; ce dernier est placé après le verbe: *Il faut travailler* est mis pour; *travailler est nécessaire*: **il** est sujet *grammatical,* **travailler** est sujet *réel.*

10 DU RADICAL ET DE LA TERMINAISON DU VERBE

Il y a deux parties dans un verbe: le **radical** et la **terminaison;** le radical reste invariable, la terminaison varie.

Pour trouver le radical d'un verbe, il suffit d'en retrancher l'une des terminaisons de l'infinitif: **er, ir, oir** et **re.** Ex.: **er** dans *chant***er, ir** dans *rougir,* etc., **radical:** *chant, roug.*

11 DES TROIS GROUPES DE VERBES

Il y a, en français, trois groupes de **verbes,** qui se distinguent surtout d'après les terminaisons de l'infinitif, de la première personne de l'indicatif présent, du participe présent.

Le 1er groupe renferme les verbes terminés en ***er*** à l'infinitif et par **e** à la première personne du présent de l'indicatif: *Aim***er**, *j'aim***e.**

Le 2e groupe renferme les verbes terminés *par* ***ir*** et ayant l'indicatif present en **is** et le participe présent en ***issant:*** *Fin***ir**, *je fin***is**, *fin***issant.**

Le 3e groupe comprend tous les autres verbes:

1° Le verbe *aller*

2° Certains verbes en ***ir*** qui n'ont pas l'indicatif présent en **is** et le participe présent en **issant:** *Cueill***ir**, *part***ir***;*

3° Les verbes terminés à l'infinitif, en ***oir*** ou en **re**: *Recev***oir,** *rend***re**.

Nota — Les verbes nouveaux sont presque tous du *1er* groupe: *téléviser, télégraphier, radiographier, etc.*

Le 3e groupe avec ses quelque 350 verbes est une conjugaison morte. A la différence des deux premiers groupes qui sont de type régulier, c'est lui qui compte le plus grand nombre d'exceptions et d'irrégularités de toute la conjugaison française

12 DES VERBES AUXILIAIRES

Il a deux verbes que l'on appelle *auxiliaires,* parce qu'ils servent à conjuguer tous les autres; ce sont les verbes avoir et être. (Pour leur emploi, voir page 100. Nota).

13 DE L'ACCORD DU VERBE

A *MODES PERSONNELS*

Le verbe s'accorde en nombre et en personne avec son sujet: Ex.: *tu* **lis;** les enfants **jouent**; *il s'en prit à* **moi qui** *n'en* **pouvais** *mais.*

S'il *y* a plusieurs sujets de la même personne, le verbe se met au pluriel de cette personne. Mais il reste au singulier si le dernier sujet singulier représente ou absorbe tous les autres Ex.: *Louison et Frédéric* **s'en vont** *à l'école*. Mais: *Femme, moine, vieillard, tout* **était descendu.**

S'il y a plusieurs sujets de différentes personnes, le verbe se met au pluriel et à la personne qui a la priorité (la 2e l'emportant *sur* la 3e et la 1re sur les deux autres). Ex.: *Toi et moi en* **avons** *suffisamment parlé.*

Si le sujet est un nom collectif au singulier ou une expression adverbiale marquant la pluralité, le verbe peut s'accorder suivant le sens et se mettre au pluriel. Ex: *Une nuée de* sauterelles s'**abattit** ou l'**abattirent.**

Mais, contrairement à la logique, on dira: *Plus d'un* **s'en repentira;** *moins de deux jours* **suffiront** à le remettre *sur pied.*

L'accord se fait de préférence avec le sujet réel dans l'expression ce sont... Ex.: **Ce sont** les *meilleurs qui l'*emportent

B *PARTICIPE PASSÉ*

1. Employé seul, le participe passé s'accorde comme un adjectif en genre et en nombre Ex.: *vérification* **faite,** *il dut reconnaître son erreur.*

2. Employé avec l'auxiliaire **avoir,** il s'accorde avec le complément d'objet dlrect si celui-ci est placé avant lui (le plus souvent ce complément d'objet dlrect a la forme du pronom personnel: **le, la, les,** ou du pronom relatif: que). Si le complément d'objet direct est placé après le verbe, ou s'il n'y a pas de complément d'objet direct, le participe reste invariable. Ex.: *Ces enfants* **ont lu** *avec beaucoup d'attention Ils* **ont lu** *des fables de La Fontaine. Celles qu'ils* **ont lues** *les* **ont** *vivement* **intéressés.**

3. Employé avec l'auxiliaire **être**, le participe passé s'accorde avec le sujet du verbe. Ex.: *Les enfants* **sont intéressés** *par les fables de La Fontaine quand elles* **sont** *bien* **lues.**

Cas particuliers. — 1. Dans certains verbes pronominaux (réfléchis et réciproques) l'auxiliaire **être** est mis pour l'auxiliaire **avoir:** dans ce cas le participe passé s'accorde comme s'il était conjugué avec **avoir.** Ex.: *Elle* **s'est blessée** (= *elle* **a blessé *elle-même***). Mais on orthographiera: *Elle* **s'est coupé** *le* **doigt** (= *elle* **a coupé** *le doigt à elle-même*).

Dans: **Il** se **sont enfuis**, l'accord se fait tout à fait normalement avec le sujet car on ne peut pas dire: *ils* **ont enfui** *eux-mêmes*).

2. Quand un participe passé conjugué avec l'auxiliaire **avoir** est suivi d'un infinitive, il faut appliquer les règles precedentes en distinguant bien le complément d'objet direct du participe et celui de l'infinitif.

Ex.: *la fable que j'***ai entendu** *lire (lire la fable). Les* enfants *que j'***ai entendus** *lire (j'ai entendu les* enfants).

C *PARTICIPE PRÉSENT*

Employé comme verbe, c'est-à-dire exprimant une action, accompagné de compléments ou précédé de **en**, le participe présent est invariable.

Employé comme adjectif, c'est-à-dire exprimant une qualité ou un état, il s'accorde en genre et en nombre avec le nom auquel il se rapporte.

Ex.: *L'*orateur *aborda des questions* **intéressant** *patrons et ouvriers.* Il donna *des precisions* **intéressantes.**

Remarque. — Les participes présents terminés pas **quant** ou par **guant** s'écrivent **cant** ou **gant** quand il sont pris comme adjectifs ou comme noms.

Ex.: *Il dompta ces bêtes en les* **fatiguant**; *ce fut un travail* **fatigant.**

2
Tableaux de conjugaisons des verbes types

(tableau synoptique p. 4 et 5)

VERBE AVOIR

Ce verbe sert d'auxilliaire: j'ai acheté um livre. Il est verbe transitif quand il a un complément d'objet: j'ai um beau livre.

INDICATIF

Présent

J'	ai
tu	as
il	a
nous	avons
vous	avez
ils	ont

Passé composé

J'	ai	eu
tu	as	eu
il	a	eu
nous	avons	eu
vous	avez	eu
ils	ont	eu

Imparfait

J'	avais
tu	avais
il	avait
nous	avions
vous	aviez
ils	avaient

Plus-que-parfait

j'	avais	eu
tu	avais	eu
il	avait	eu
nous	avions	eu
vous	aviez	eu
ils	avaient	eu

Passé simple

J'	eus
tu	eus
il	eut
nous	eûmes
vous	eûtes
ils	eurent

Passé antérieur

j'	*eus*	*eu*
tu	eus	eu
il	eut	eu
nous	eûmes	eu
vous	eûtes	eu
ils	eurent	eu

Futur simple

J'	aurai
tu	auras
il	aura
nous	aurons
vous	aurez
ils	auront

Futur antérieur

j'	aurai	eu
tu	auras	eu
il	aura	eu
nous	aurons	eu
vous	aurez	eu
ils	auront	eu

CONDITIONNEL

Présent

J'	aurais
tu	aurais
il	aurait
nous	aurions
vous	auriez
ils	auraient

Passé 1re forme

J'	aurais	eu
tu	aurais	eu
il	aurait	eu
nous	aurions	eu
vous	auriez	eu
ils	auraient	eu

Passé 2e forme

J'	eusse	eu
tu	eusses	eu
il	eût	eu
nous	eussions	eu
vous	eussiez	eu
ils	eussent	eu

SUBJONCTIF

Présent

Que j'	aie
que tu	aie
qu'il	ait
q. n.	ayons
q. v.	ayez
qu'ils	aient

Imparfait

Que j'	eusse
que tu	eusses
qu'il	eût
q. n.	eussions
q. v.	eussiez
qu'ils	eussent

Passé

Que j'	aie	eu
que tu	aies	eu
qu'il	ait	eu
q. n.	ayons	eu
q. v.	ayez	eu
qu'ils	aient	eu

Plus-que-parfait

Que j'	eusse	eu
que tu	eusses	eu
qu'il	eût	eu
q. n.	eussions	eu
q. v.	eussiez	eu
qu'ils	eussent	eu

IMPÉRATIF

Présent

Aie
ayons
ayez

INFINITIF

Présent	*Passé*
Avoir	Avoir eu

PARTICIPE

Présent	*Passé*
Ayant	Eu, eue
	ayant eu

VERBE ÊTRE

Le verbe être sert d'auxiliaire: 1° à tous les verbes passifs; 2° à tous les verbes pronominaux; 3° à quelques verbes intransitifs. Le participe été est toujors invariable.

INDICATIF

Présent		*Passé composé*		
Je	suis	J'	ai	été
tu	es	tu	as	été
il	est	il	a	été
nous	sommes	nous	avons	été
vous	etes	vous	avez	été
ils	sont	ils	ont	été

Imparfait		*Plus-que-parfait*		
J'	étais	J'	avais	été
tu	étais	tu	avais	été
il	était	il	avait	été
nous	étions	nous	aviont	été
vous	étiez	vous	aviez	été
ils	étaient	ils	avaient	été

Passé simple		*Passé antérieur*		
je	fus	J'	eus	été
tu	fus	tu	eus	été
il	fut	il	eut	été
nous	fûmes	nous	eûme	été
vous	fûtes	vous	eûtes	été
ils	furent	ils	eurent	été

Futur simple		*Futur antérieur*		
je	serai	J'	aurai	été
tu	serás	tu	auras	été
il	sera	il	aura	été
nous	serons	nous	aurons	été
vous	serez	vous	aurez	été
ils	seront	ils	auront	été

CONDITIONNEL

Présent	
Je	serais
tu	serais
il	serait
nous	serions
vous	seriez
ils	seraient

Passé 1re forme		
J'	aurais	été
tu	aurais	été
il	aurait	été
nous	saurions	été
vous	auriez	été
ils	auraient	été

Passé 2e forme		
J'	eusse	été
tu	eusses	été
il	eût	été
nous	eussions	été
vous	eussiez	été
ils	eussent	été

SUBJONCTIF

Présent	
Que je	sois
que tu	sois
qu'il	soit
que n.	soyons
que v.	soyez
qu'ils	soient

Imparfait	
Que je	fusse
que tu	fusses
qu'ils	fût
que n.	fussions
que v.	fussiez
qu'ils	fussent

Passé		
Que j'	aie	été
que tu	aies	été
qu'il	ait	été
que n.	ayons	été
que v.	ayez	été
qu'ils	aient	été

Plus-que-Parfait		
Que j'	eusse	été
que tu	eusses	été
qu'il	eût	été
que n.	eussions	été
que v.	eussiez	été
qu'ils	eussent	été

IMPÉRATIF

Présent

Sois
soyons
soyez

INFINITIF

Présent	*Passé*
Être	Avoir été

PARTICIPE

Présent	*Passé*
Étant	Été ayant été

PREMIER GROUPE

Infinitif présent en-**er**; 1re personne du présent de l'indicatif en-**e**.

Conjugaison type: **AIM** -ER

INDICATIF

Présent			*Passé composé*		
J'	aim	e	J'	ai	aimé
tu	aim	es	tu	as	aimé
il	aim	e	il	a	aimé
nous	aim	ons	n.	avons	aimé
vous	aim	ez	v.	avez	aimé
ils	aim	ent	ils	ont	aimé

Imparfait			*Plus-que-parfait*		
J'	aim	ais	J'	avais	aimé
tu	aim	ait	tu	avais	aimé
il	aim	ait	il	avait	aimé
nous	aim	ions	n.	avions	aimé
vous	aim	iez	v.	aviez	aimé
ils	aim	aient	ils	avaient	aimé

Passé simplé			*Passé antérieur*		
J'	aim	ai	J'	eus	aimé
tu	aim	as	tu	eus	aimé
il	aim	a	il	eut	aimé
nous	aim	âmes	n.	eûmes	aimé
vous	aim	âtes	v.	eûtes	aimé
ils	aim	èrent	ils	eurent	aimé

Futur simple			*Futur antérieur*		
j'	aim	erai	J'	aurai	aimé
tu	aim	eras	tu	auras	aimé
il	aim	era	il	aura	aimé
nous	aim	erons	n.	aurons	aimé
vous	aim	erez	v.	aurez	aimé
ils	aim	eront	ils	auront	aimé

CONDITIONNEL

Présent		
J'	aim	erais
tu	aim	erais
il	aim	erait
n.	aim	erions
v.	aim	eriez
ils	aim	eraient

Passé 1re forme		
J'	aurais	aimé
tu	aurais	aimé
il	aurait	aimé
n.	aurions	aimé
v.	auriez	aimé
ils	auraient	aimé

Passé 2e forme		
J'	eusse	aimé
tu	eusses	aimé
il	eût	aimé
n.	eussions	aimé
v.	eussiez	aimé
ils	eussent	aimé

SUBJONCTIF

Présent		
Que j'	aim	e
que tu	aim	es
qu'il	aim	e
que n.	aim	ions
que v.	aim	iez
qu'ils	aim	ent

Imparfait		
Que j'	aim	asse
que tu	aim	asses
qu'il	aim	ât
que n.	aim	assions
que v.	aim	assiez
qu'ils	aim	assent

Passé		
Que j'	aie	aimé
que tu	aies	aimé
qu'il	ait	aimé
q. n.	ayons	aimé
q. v.	ayez	aimé
qu'ils	aient	aimé

Plus-que-parfait		
Que j.	eusse	aimé
que tu	eusses	aimé
qu'il	eût	aimé
q. n.	eussions	aimé
v. v.	eussiez	aimé
qu'ils	eussent	aimé

IMPÉRATIF

Présent

Aim e
aim ons
aim ez

Passé

Aie aimé
ayons aimé
ayez aimé

INFINITIF

Présent	*Passé*
Aimer	Avoir aimé

PARTICIPE

Présent	*Passé*
Aimant	Aimé, ée

VERBES EN -CER: PLACER

Les verbes en-cer prennent une cédille sous le c devant les voyelles a et o: *Commençons, tu commenças,* ***pour conserver au c le son doux.***

INDICATIF

Présent

Je	plac e
tu	plac es
il	plac e
nous	plaç ons
vous	plac ez
ils	plac ent

Imparfait

Je	plaç ais
tu	plaç ait
il	plaç ait
nous	plac ions
vous	plac *iez*
ils	plaç aient

Passé simple

Je	plaç ai
tu	plaç as
il	plaç a
nous	plaç âmes
vous	plaç âtes
Ils	plaç èrent

Futur simple

Je	plac erai
tu	plac eras
il	plac era
nous	plac erons
vous	plac erez
ils	plac eront

Passé composé

J'	ai	placé
tu	as	placé
il	a	placé
nous	avons	placé
vous	avez	placé
ils	ont	placé

Plus-que-parfait

J'	avais	placé
tu	avais	placé
il	avait	placé
nous	avions	placé
vous	aviez	placé
ils	avaient	placé

Passé antérieur

J'	eus	placé
tu	eus	placé
il	eut	placé
nous	eûmes	placé
vous	eûtes	placé
ils	eurent	placé

Futur antérieur

J'	aurai	placé
tu	auras	placé
il	aura	placé
nous	aurons	placé
vous	aurez	placé
ils	auront	placé

CONDITIONNEL

Présent

Je	plac	erais
tu	plac	erais
il	plac	erait
nous	plac	erions
vous	plac	eriez
ils	plac	eraient

Passé 1re forme

J' aurais placé
tu aurais placé
il aurait placé, etc

Passé 2e forme

J' eusse placé
tu eusses placé
il eût placé, etc.

IMPÉRATIF

Présent

Plac e
plaç ons
plac ez

Passé

Aie placé
ayons placé
ayez placé

SUBJONCTIF

Présent

Que je	plac	e
que tu	plac	es
qu'il	plac	e
que n.	plac	ions
que v.	plac	iez
qu'ils	plac	ent

Imparfait

Que je	plaç asse
Que tu	plaç asses
Qu'il	plaç ât
que n.	plaç assions
que v.	plaç assiez
qu'ils	plaç assent

Passé

Que j'	aie	placé
que tu	aies	placé
qu'il	ait	placé
que n.	ayons	placé
que v.	ayez	placé
qu'ils	aient	placé

Plus-que-parfait

Que j'	eusse	placé
que tu	eusses	placé
qu'il	eût	placé
que n.	eussions	placé
que v.	eussiez	placé
qu'ils	eussent	placé

INFINITIF

Présent
Plac er

Passé
Avoir placé

PARTICIPE

Présent
Plaçant

Passé
Place, ée
Ayant placé

VERBE CÉDER

Verbes ayant un **é (e fermé)** à l'avant-dernière syllabe de l'infinitif.

(Verbes en **–ébrer, -écher, -écrer, -éder, -égier, -égner, -égrer, éguer, -éler, -émer, -éner, -érer, -éser, -éter, -étrer.**)

Les verbes qui ont un é fermé à l'avant-dernière syllabe de l'infinitif changent l'é fermé en è ouvert devant une syllabe muette: Je cède.

Cependant, au futur et au conditionnel, les verbes qui ont un é fermé à l'avant-dernière syllabe conservent cet é fermé: Je céderai, tu céderais.

INDICATIF

Présent	***Passé composé***
Je cèd e	J' ai cédé
tu cèd es	tu as cédé
il ced e	il a cédé
nous céd ons	nous avons cédé
vous céd ez	vous avez cédé
ils cèd ent	ils ont cédé

Imparfait	***Plus-que-parfait***
Je céd ais	J' avais cédé
tu céd ais	tu avais cédé
il céd ait	il avait cédé
nous céd ions	nous avions cédé
vous céd iez	vous aviez cédé
ils céd aient	ils avaient cédé

Passé simple	***Passé antérieur***
Je céd ai	J' eus cédé
tu céd as	tu eus cédé
il céd a	il eut cédé
nous céd âmes	nous eûmes cédé
vous céd âtes	vous eûtes cédé
ils céd èrent	ils eurent cédé

Futur simple	***Futur antérieur***
Je céd erai	J' aurai cédé
tu céd eras	tu auras cédé
il céd era	il aura cédé
nous céd erons	nous aurons cédé
vous céd erez	vous aurez cédé
ils céderont	ils auront cédé

CONDITIONNEL

Présent

Je céd erais
tu céd erais
il céd erait
nous céd erions
vous céd eriez
ils céd eraient

Passé 1re forme

J' aurais cédé
tu aurais cédé
il aurait cédé, etc.

Passé 2e forme

J' eusse cédé
tu eusses cédé
il eût cédé, etc.

IMPÉRATIF

Présent

Céd e
céd ons
céd ez

Passé

Aie cédé
ayons cédé
ayez cédé

SUBJONCTIF

Présent	***Imparfait***
Que je cèd e	Que je céd asse
que tu cèd es	que tu céd asses
qu'il cèd e	qu'il céd ât
que n. céd ions	que n. céd assions
que v. céd iez	que v. céd assiez
qu'ils cèd ent	qu'ils céd assent

Passé	***Plus-que-parfait***
Que j' aie cédé	Que j. eusse cédé
que tu aies cédé	que tu eusses cédé
qu'il ait cédé	qu'il eût cédé
que n. ayons cédé	que n. eussions cédé
que v. ayez cédé	que v. eussiez cédé
qu'ils aient cédé	qu'ils eussent cédé

INFINITIF		PARTICIPE	
Présent	***Passé***	***Présent***	***Passé***
Céder	Avoir cédé	Céd ant	Céd é, ée Ayant cédé

VERBE PESER

Verbes ayant un e muet à l'avant-dernière syllabe de l'infinitif

(Verbes en **–emer, -ener, -eper, -eser, -ever, -evrer.**)
Les verbes qui ont un e muet à l'avant-dernière syllabe de l'infinitif, comme *lever,* ***changent l'e muet en è ouvert devant une syllabe muette:*** *Je lève.*
Note. — Pour les verbes en **eler, eter,** voir p. 22-23
Pour les verbes en **ecer,** voir p. 21.

INDICATIF

Présent

Je	pès e
tu	pès es
il	pès e
nous	pes ons
vous	pes ez
ils	pès ent

Passé composé

J'	ai	pesé
tu	as	pesé
il	a	pesé
n.	avons	pesé
v.	avez	pesé
ils	ont	pesé

Imparfait

Je	pes ais
tu	pes ais
il	pes ait
nous	pes ions
vous	pes iez
ils pes	aient

Plus-que-parfait

J'	avais	pesé
tu	avais	pesé
il	avait	pesé
n.	avions	pesé
v.	aviez	pesé
ils	avaient	pesé

Passé simple

Je	pes ai
tu	pes as
il	pes a
nous	pes âmes
vous	pes âtes
ils	pes èrent

Passé antérieur

J'	eus	pesé
tu	eus	pesé
il	eut	pesé
n.	eûmes	pesé
v.	eùtes	pesé
ils	eurent	pesé

Futur simple

Je	pès erai
tu	pès eras
il	pès era
nous	pès erons
vous	pès erez
ils	pès eront

Futur antérieur

J'	aurai	pesé
tu	auras	pesé
il	aura	pesé
n.	aurons	pesé
v.	aurez	pesé
ils	auront	pesé

CONDITIONNEL

Présent

Je	pès erais
tu	pès erais
il	pès erait
nous	pès erions
vous	pès *eriez*
ils	pés eraient

Passé 1re forme

J' aurais pesé
tu aurais pesé
il aurait pesé, etc.

Passé 2e forme

J. eusse pesé
tu eusses pesé
il eût pesé, etc.

IMPÉRATIF

Présent

Pès e
pes ons
pes ez

Passé

Aie pesé
ayons pesé
ayez pesé

SUBJONCTIF

Présent

Que je pè se
que tu pè ses
qu' il pè se
que n. pes ions
que v. pes iez
qu' ils pès ent

Imparfait

Que je pes asse
que tu pes asses
qu'il pes ât
que n. pes assions
que v. pes assiez
qu'ils pes assent

Passé

Que j' pesé
que tu aies pesé
qu'il ait pesé
q. n. ayons pesé
q. v. ayez pesé
qu'ils aient pesé

Plus-que-parfait

Que j' eusse pesé
que tu eusses pesé
qu'il eût pesé
q. n. eussions pesé
q. v. eussiez pesé
qu' ils eussent pesé

INFINITIF

Présent
Pes er

Passé
Avoir pesé

PARTICIPE

Présent
Pes ant

Passé
Pes é, e
Ayant pesé

VERBES EN -ÉCER: **RAPIÉCER**

> ***Dans les verbes en -écer:***
> ***1º L'é du radical se change en è devant e muet (sauf au futur et au conditionnel, v.*** *céder.* ***p. 18).***
> ***2º Pour conserver le son doux, le c prend une cédille devant les voyelles a, o.***

INDICATIF		**CONDITIONNEL**	**SUBJONCTIF**
Présent	***Passé composé***	***Présent***	***Présent***
Je rapi èce	J' ai rapiécé	Je rapi écerais	Que je rapi èce
tu rapi èces	tu as rapiécé	tu rapi écerais	que tu rapi èces
il rapi èce	il a rapiécé	il rapi écerait	qu' il rapi èce
nous rapi éçons	nous avons rapiécé	nous rapi écerions	que n. rapi ècions
vous rapi écez	vous avez rapiécé	vous rapi éceriez	
ils rapi ècent	ils ont rapiécé	ils rapi éceraient	qu'ils rapi ècent
Imparfait	***Plus-que-parfait***	***Passé 1re forme***	***Imparfait***
Je rapi éçais	J' avais rapiécé	J' aurais rapiécé	Que je rapi éçasse
tu rapi éçais	tu avais rapiécé	tu aurais rapiécé	que tu rapi éçasses
il rapi éçait	il avait rapiécé	il aurait rapiécé, etc	qu'il rapi éçât
nous rapi écions	nous avions rapiécé		que n. rapi éçassions
vous rapi éciez	vous aviez rapiécé	***Passé 2e forme***	que v. rapi éçassiez
ils rapi éçaient	ils avaient rapiécé		qu'ils rapi éçassent
		J' eusse rapiécé	
Passé simple	***Passé antérieur***	tu eusses rapiécé	***Passé***
		il eût rapiécé, etc	
Je rapi éçai	J' eus rapiécé		Que j' aie rapiécé
tu rapi éças	tu eus rapiécé		Que tu aies rapiécé
il rapi éça	il eut rapiécé	**IMPÉRATIF**	qu'il ait rapiécé
nous rapiéçâmes	nous eûmes rapiécé		que n. ayons rapiécé
vous rapiéçâtes	vous eûtes rapiécé	***Présent***	que v. ayez rapiécé
ils rapiécèrent	ils eurent rapiécé		qu'ils aient rapiécé
		Rapi èce	
Futur simple	***Futur antérieur***	rapi éçons	***Plus-que-parfait***
		rapi écez	
Je rapi écerai	J' aurai rapiécé		Que j' eusse rapiécé
tu rapi écera	tu auras rapiécé	***Passé***	que tu eusses rapiécé
il rapi écera	il aura rapiécé		qu'il eût rapiécé
nous rapi éceron	nous aurons rapiécé	Aie rapiécé	que n. eussions rapiécé
vous rapi écerez	vous auriez rapiécé	ayons rapiécé	que v. eussiez rapiécé
ils rapi éceront	ils auront rapiécé	ayez rapiécé	qu'ils eussent rapiécé

INFINITIF		**PARTICIPE**	
Présent	***Passé***	***Présent***	***Passé***
Rapi écer	Avoir rapiécé	Rapi éçant	Rapiécé, ée
			ayant rapiécé

VERBE EN -ECER: DÉPECER

Dans les verbes en -ecer:

1º L'e muet de avant-dernière syllabe se change en é ouvert devant une syllabe muette (v.** peser, **p. 19).

2º Pour conserver le son doux, le c prend une cédille devant les voyelles a et o.

INDICATIF

Présent		*Passé composé*	
Je	dép éce	J' ai	dépecé
tu	dép èces	tu as	dépecé
il	dép èce	il a	dépecé
nous	dép eçons	nous avons	dépecé
vous	dép ecez	vous avez	dépecé
ils	dép ècent	ils ont	dépecé

Imparfait		*Plus-que-parfait*	
Je	dép eçais	J' avais	dépecé
tu	dép eçais	tu avais	dépecé
il	dép eçait	il avait	dépecé
nous	dép ecions	nous avions	dépecé
vous	dép eciez	vous aviez	dépecé
ils	dép eçaient	ils avaient	dépecé

Passé simplé		*Passé antérieur*	
Je	dèp eçai	J' eus	dépecé
tu	dép eças	tu eus	dépecé
il	dép eça	il eut	dépecé
nous	dép eçâmes	nous eûmes	dépecé
vous	dép eçâtes	vous eùtes	dépecé
ils	dép ecèrent	ils eurent	dépecé

Futur simple		*Futur antérieur*	
Je	dép ècerai	J' aurai	dépecé
tu	dép èceras	tu auras	dépecé
il	dép ècera	il aura	dépecé
nous	dép ècerons	nous aurons	dépecé
vous	dép ècerez	vous aurez	dépecé
ils	dép èceront	ils auront	dépecé

CONDITIONNEL

Présent

Je dép ècerais
tu dép ècerais
il dép ècerait
nous dép ècerions
vous dép èceriez
ils dép èceraient

Passé 1re forme

J' aurais dépecé
tu aurais dépecé
il aurait dépecé, etc

Passé 2e forme

J' eusse dépecé
tu eusses dépecé
il eût dépecé, etc

IMPÉRATIF

Présent

Dép èce
dép eçons
dép ecez

Passé

Aie dépecé
ayons dépecé
ayez dépecé

SUBJONCTIF

Présent

Que je dép èce
que tu dép èces
qu'il dép èce
que n. dép ecions
que v. dép eciez
qu'ils dép ècent

Imparfait

Que je dép eçasse
que tu dép eçasses
qu'il dép eçât
que n. dép eçassions
que v. dép eçassiez
qu'ils dép eçassent

Passé

Que j' aie dépecé
que tu aies dépecé
qu'il ait dépecé
que n. ayons dépecé
que v. ayez dépecé
qu'ils aient dépecé

Plus-que-parfait

Que j' eusse dépecé
que tu eusses dépecé
qu'il eût dépecé
que n. eussions dépecé
que v. eussiez dépecé
qu'ils eussent dépecé

INFINITIF

Présent	*Passé*
Dép ecer	Avoir dépecé

PARTICIPE

Présent	*Passé*
Dép eçant	Dépecé, ée ayant dépecé

VERBES EN -ELER ou -ETER (1er type)

Verbes doublant **l** ou **t** devant e muet.

Les verbes en ***-eler*** *ou* ***-eter*** *se subdivisent en deux classes:*
1º Les plus nombreux doublent la conssonne l ou t devant un e muet. Type: je jette
2º Un petit nombre ne doublent pas devant l'e muet la consonne l ou t, mais prennent un accent grave sur l'e qui précède l'l ou le t. Type: je modèle (v. en tête de la page suivant la liste des plus usités d'entre eux).

INDICATIF		CONDITIONNEL	SUBJONCTIF
Présent	***Passé composé***	***Présent***	***Présent***
Je jett e	J' ai jeté	Je jett erais	Que je jett e
tu jett es	tu as jeté	tu jett erais	que tu jett es
il jett e	il a jeté	il jett erait	qu'il jett e
nous jet ons	nous avons jeté	nous jett erions	que n. jet ions
vous jet ez	vous avez jeté	vous jett eriez	que v. jet iez
ils jett ent	ils ont jeté	ils jett eraient	qu'ils jett ent
Imparfait	***Plus-que-parfait***	***Passé 1re forme***	***Imparfait***
Je jet ais	J' avais jeté	J' aurais jeté	Que je jet asse
tu jet ais	tu avais jeté	tu aurais jeté	que tu jet asses
il jet ait	il avait jeté	il aurait jeté, etc.	qu'il jet ât
nous jet ions	nous avions jeté		que n. jet assions
vous jet iez	vous aviez jeté	***Passé 2e forme***	que v. jet assiez
ils jet aient	ils avaient jeté		qu'ils jet assent
		J' eusse jeté	
Passé simple	***Passé antérieur***	tu eusses jeté	***Passé***
		il eût jeté, etc	
je jet ai	J' eus jeté		Que j' aie jeté
tu jet as	tu eus jeté	**IMPÉRATIF**	que tu aies jeté
il jet a	il eut jeté		qu'il ait jeté
nous jet âmes	nous eûmes jeté	***Présent***	q. n. ayons jeté
vous jet âtes	vous eûtes jeté		q. v. ayez jeté
ils jet èrent	ils eurent jeté		qu'ils aient jeté
		Jett e	
Futur simple	***Futur antérieur***	jet ons	***Plus-que-parfait***
		jet ez	
je jett erai	J' aurai jeté		Que j' eusse jeté
tu jett eras	tu auras jeté	***Passé***	que tu eusses jeté
il jett era	il aura jeté		qu'il eût jeté
nous jett erons	nous aurons jeté	Aie jeté	q. n. eussions jeté
vous jett erez	vous aurez jeté	ayons jeté	q. v. eussiez jeté
ils jett eront	ils auront jeté	ayez jeté	qu'ils eussent jeté

INFINITIF		PARTICIPE	
Présent	***Passé***	***Présent***	***Passé***
Jet er	Avoir jeté	Jet ant	Jet é, ée
			ayant jeté

VERBES EN -ELER OU -ETER (2e type)

II. Verbes changeant e en è devant syllabe muette

> ***Les plus usités d'entre eux sont:***
> acheter, becqueter, bourreler, ciseler, déceler, dégeler, démanteler, écarteler, étiqueter, fureter, geler, haleter, harceler, marteler, modeler, peler, receler.

INDICATIF

Présent		*Passé composé*		
Je	mod èle	J'	ai	modelé
tu	mod èles	tu	as	modelé
il	mod èle	il	a	modelé
nous	mod elons	nous	avons	modelé
vous	mod elez	vous	avez	modelé
ils	mod èlent	ils	ont	modelé

Imparfait		*Plus-que-parfait*		
Je	mod elais	J'	avais	modelé
tu	mod elais	tu	avais	modelé
il	mod elait	il	avait	modelé
nous	mod elions	nous	avions	modelé
vous	mod eliez	vous	aviez	modelé
ils	mod elaient	ils	avaient	modelé

Passé simple		*Passé antérieur*		
je	mod elai	J'	eus	modelé
tu	mod elas	tu	eus	modelé
il	mod ela	il	eut	modelé
nous	mod elâmes	nous	eûmes	modelé
vous	mod elâtes	vous	eûtes	modelé
ils	mod elèrent	ils	eurent	modelé

Futur *simple*		*Futur antérieur*		
Je	mod èlerai	J'	aurai	modelé
tu	mod èleras	tu	auras	modelé
il	mod èlera	il	aura	modelé
nous	mod èlerons	nous	aurons	modelé
vous	mod èlerez	vous	aurez	modelé
ils	mod èleront	ils	auront	modelé

CONDITIONNEL

Présent

Je	mod èlerais
tu	mod èlerais
il	mod èlerait
nous	mod èlerions
vous	mod èleriez
ils	mod eleraient

Passé 1re forme

J' aurais modelé
tu aurais modelé
il aurait modelé, etc

Passé 2e forme

J' eusse modelé
tu eusses modelé
il eût modelé, etc.

IMPÉRATIF

Présent

Mod èle
mod elons
mod elez

Passé

Aie modelé
ayons modelé
ayez modelé

SUBJONCTIF

Présent	
Que je	mod èle
que tu	mod èles
qu'il	mod èles
que n.	mod elions
que v.	mod eliez
qu'ils	mod èlent

Imparfait	
Que je	mod elasse
que tu	mod elasses
qu'il	mod elât
que n.	mod elassions
que v.	mod elassiez
qu'ils	mod elassent

Passé		
Que j'	aie	modelé
que tu	aies	modelé
qu'il	ait	modelé
que n.	ayons	modelé
que v.	ayez	modelé
qu'ils	aient	modelé

Plus-que-parfait		
Que j'	eusse	modelé
que tu	eusses	modelé
qu'il	eût	modelé
que n.	eussions	modelé
que v.	eussiez	modelé
qu'ils	eussent	modelé

INFINITIF

Présent	*Passé*
Mod eler	Avoir modelé

PARTICIPE

Présent	*Passé*
Mod elant	Mod elé, ée ayant modelé

VERBES EN -GER: MANGER

***Les verbes en -ger conservent l'e après le** g **devant les voyelles** a **et** o: Nous Jugeons, tu jugeas*

***Cet** e **sert** à **maintenir partout le son du** g **doux**.*

INDICATIF

Présent	*Passé composé*
Je mang e	J' ai mangé
tu mang es	tu as mangé
il mang e	il a mangé
nous mangeons	nous avons mangé
vous mang ez	vous avez mangé
ils mang ent	ils ont mangé

Imparfait	*Plus-que-parfait*
je mang eais	J' avais mangé
tu mang eais	tu avais mangé
il mang eait	il avait mangé
nous mang ions	nous avions mangé
vous mang iez	vous aviez mangé
ils mangeaient	ils avaient mangé

Passé simple	*Passé antérieur*
Je mang eai	J' eus mangé
tu mang eas	tu eus mangé
il mang ea	il eût mangé
nous mang eâmes	nous eûmes mangé
vous mang eâtes	vous eûtes mangé
ils mang èrent	ils eurent mangé

Futur simple	*Futur antérieur*
Je mang erai	J' aurai mangé
tu mang eras	tu auras mangé
il mang era	il aura mangé
nous mangerons	nous aurons mangé
vous mang erez	vous aurez mangé
ils mang eront	ils auront mangé

CONDITIONNEL

Présent

Je mang erais
tu mang erais
il mang erait
nous mang erions
vous mang eriez
ils mang eraient

Passé 1er forme

J' aurais mangé
tu aurais mangé
il aurait mangé, etc

Passé 2e forme

J' eusse mangé
tu eusses mangé
il eût mangé, etc

IMPÉRATIF

Présent

Mange
mang eons
mang ez

Passé

Aie mangé
ayons mangé
ayez mangé

SUBJONCTIF

Présent	*Imparfait*
Que je mang e	Que je mang easse
que tu mang es	que tu mang easses
qu'il mang e	qu'il mang eât
que n. mang íons	que n. mang eassions
	que v. mang eassiez
qu'ils mang ent	qu'ils mang eassent

Passé	*Plus-que-parfait*
Que j' aie mangé	Que j' eusse mangé
que tu aies mangé	que tu eusses mangé
qu'il ait mangé	qu'il eût mangé
que n. ayons mangé	que n. eussions mangé
que v. ayez mangé	que v. eussiez mangé
qu'ils aient mangé	qu'ils eussent mangé

INFINITIF

Présent	*Passé*
Mang er	Avoir mangé

PARTICIPE

Présent	*Passé*
Mang eant	Mangé, ée ayant mangé

VERBES EN -ÉGER: **ASSIÉGER**

Dans les verbes en –éger:
1° L'é du radical se change en è devant un e muet (sauf au futur et au conditionnel).
2° Pour maintenir partout le son du g doux, on maintlent l'e après le g devant les voyelles a et o.

INDICATIF

Présent	*Passé composé*
J' assi ège	J' ai assiégé
tu assi èges	tu as assiégé
il assi ège	il a assiégé
nous assiégeons	nous avons assiégé
vous assi égez	vous avez assiégé
ils assi ègent	ils ont assiégé
Imparfait	***Plus-que-parfait***
J' assi égeais	J' avais assiégé
tu assi égeais	tu avais assiégé
il assi égeait	il avait assiégé
nous assi égions	nous avions assiégé
vous assi égiez	vous aviez assiégé
ils assi égeaient	ils avaient assiégé
Passé simple	***Passé antérieur***
J' assi égeai	J' eus assiégé
tu assi égeas	tu eus assiégé
il assi égea	il eut assiégé
nous assi égeâmes	nous eûmes assiégé
vous assi égeâtes	vous eûtes assiégé
ils assi égèrent	ils eurent assiégé
Futur simple	***Futur antérieur***
J' assi égerai	J' aurai assiégé
tu assi égeras	tu auras assiégé
il assi égera	il aura assiégé
nous assi égerons	nous aurons assiégé
vous assi égerez	vous aurez assiégé
ils assi égeront	ils auront assiègé

CONDITIONNEL

Présent

J' assi égerais
tu assi égerais
il assi égerait
nous assi égerions
vous assi égeriez
ils assi égeraient

Passé 1re forme

j' aurais assiégé
tu aurais assiégé
il aurait assiégé, etc

Passé 2e forme

J' eusse assiégé
tu eusses assiégé
il eût assiégé, etc

IMPÉRATIF

Présent

Assi ège
assi égeons
assi égez

Passé

Aie assiégé
ayons assiégé
ayez assiégé

SUBJONCTIF

Présent

Que j' assi ège
que tu assi èges
qu'il assi ège
que n. assi égions
que v. assi égiez
qu'ils assi ègent

Imparfait

Que j' assi égeasce
que tu assi égeasses
qu'il assi égeât
que n. assi égeassions
que v. assi égeassiez
qu'ils assi égeassent

Passé

Que j' aie assiégé
que tu aies assiégé
qu'il ait assiégé
que n. ayons assiégé
que v. ayez assiégé
qu'ils aient assiégé

Plus-que-parfait

Que j' eusse assiégé
que tu eusses assiégé
qu'il eût assiégé
que n. eussions assiégé
que v. eussiez assiégé
qu'ils eussent assiégé

INFINITIF

Présent	*Passé*
Assi éger	Avoir assiégé

PARTICIPE

Présent	*Passé*
Assi égeant	Assi égé, ée Ayant assiégé

VERBES EN -ÉER: CRÉER

Ces verbes n'offrent d'autre particularité que la présence très régulière de deux e à certaines personnes de l'indicatif présent, du passé simple, du futur, du conditionnel, de l'impératif, du subjonctif, au participe passé masculin, et celle de trois e au participe passé féminin:

Dans les verbes en –éer, l'é reste toujours fermé: Je crée, tu crées...

INDICATIF

Présent		***Passé composé***		
Je	cré e	J'	ai	créé
tu	cré es	tu	as	créé
il	cré e	il	a	créé
nous	cré ons	nous	avons	créé
vous	cré ez	vous	avez	créé
ils	cré ent	ils	ont	créé
Imparfait		***Plus-que-parfait***		
je	cré ais	J'	avais	créé
tu	cré as	tu	avais	créé
il	cré ait	il	avait	créé
nous	cré ions	nous	avions	créé
vous	cré iez	vous	aviez	créé
ils	cré aient	ils	avaient	créé
Passé simple		***Passé antérieur***		
Je	cré ai	J'	eus	créé
tu	cré as	tu	eus	créé
il	cré a	il	eut	créé
nous	cré âmes	nous	eûmes	créé
vous	cré âtes	vous	eûtes	créé
ils	cré érent	ils	eurent	créé
Futur simple		***Futur antérieur***		
Je	cré erai	J'	aurai	créé
tu	cré eras	tu	auras	créé
il	cré era	il	aura	créé
nous	cré erons	nous	aurons	créé
vous	cré erez	vous	aurez	créé
ils	cré eront	ils	auront	créé

CONDITIONNEL

Présent

Je	cré erais
tu	cré erais
il	cré erait
nous	cré erions
vous	cré eraient
ils	cré eraient

Passé 1re forme

J' aurais créé
tu aurais créé
il aurait créé, etc.

Passé 2e forme

J' eusse créé
tu eusses créé
il eût créé, etc.

IMPÉRATIF

Présent

Cré e
cré ons
cré ez

Passé

Aie créé
ayons créé
ayez créé

SUBJONCTIF

Présent

Que je	cré e
que tu	cré es
qu'il	cré e
que n.	cré ions
que v.	cré iez
qu'ils	cré ent

Imparfait

Que je cré asse
que tu cré asses
qu'il cré ât
que n. cré assion
que v. cré assiez
qu'ils cré assent

Passé

Que j'	aie	créé
que tu	aies	créé
qu'il	ait	créé
q. n	ayons	créé
q. v.	ayez	créé
qu'ils	aient	créé

Plus-que-parfait

Que j'	eusse	créé
que tu	eusses	créé
qu'il	eût	créé
q. n.	eussions	créé
q. v.	eussiez	créé
qu'ils	eussent	créé

INFINITIF

Présent: Crê er

Passé: Avoir créé

PARTICIPE

Présent: Cré ant

Passé: Créé éé
ayant créé

VERBES EN -IER: **APPRÉCIER**

Ces verbes n'*offrent d'outre* particularité *que* les *deux* i à la 1re et à la 2e personne *du* pluriel *de* l'imparfait *de* l'indicatif et *du* présent *du* subj*onctif*: appréciions, appréciiez. Ces *deux* i sont produits *par* la *re*contre *de l'*i *final du radical qui* se maintient *dans* toute la *conjugaison,* avec l'i *initial* de *la terminaison.*

INDICATIF		CONDITIONNEL	SUBJONCTIF
Présent	***Passé composé***	***Présent***	***Présent***
J' appréci e tu appréci es il appréci e nous apprécions ils appréci ent	J' ai apprécié tu as apprécié il a apprécié n. avons apprécié v. avez apprécié ils ont apprécié	J' appréci erais tu appréci erais il appréci erait nous appréci erions vous appréci eriez ils appréci eraient	Que J' appréci e que tu appréci es qu'il appréci e que n. appréci ions que v. appréci iez qu'ils appréci ent
Imparfait	***Plus-que-parfait***	***Passé 1re forme***	***Imparfait***
j' appréci ais tu appréci ais il appréci ait nous appréci ions vous appréci iez ils appréci aient	J' avais apprécié tu avais apprécié il avait apprécié n. avions apprécié v. aviez apprécié ils avaient apprécié	J' aurai, apprécié tu aurais apprécié il aurait apprécié, etc ***Passé 2e forme*** J' eusse apprécié tu eusses apprécié il eût apprécié, etc	Que j' appréci asse que tu appréci asses qu'il appréci ât que n. appréci assions que v. appréci assiez qu'ils appréci assent
Passé simple	***Passé antérieur***	**IMPÉRATIF**	***Passé***
J' appréci ai tu appréci as il appréci a nous appréci âmes vous appréci âtes ils appréci érent	J' eus apprécié tu eus apprécié il eut apprécié n. eûmes apprécié v. eûtes apprécié ils eurent apprécié	***Présent*** Appréci e appréci ons appréci ez	Que j' aie apprécié que tu aies apprécié qu'il ait apprécié que n. ayons apprécié que v. ayez apprécié qu'ils aient apprécié
Futur simple	***Futur antérieur***	***Passé***	***Plus-que-parfait***
J' appréci erai tu appréci eras il appréci era nous appréci erons vous appréci erez ils appréci eront	J. aurai apprécié tu auras apprécié il aura apprécié n. aurons apprécié v. aurez apprécié ils auront apprécié	Aie apprécié ayons apprécié ayez apprécié	Que j' eusse apprécié que tu eusses apprécié qu'il eût apprécié q. n. eussions apprécié q. v. eussiez apprécié qu'ils eussent apprécié

INFINITIF		PARTICIPE	
Présent	***Passé***	***Présent***	***Passé***
Appréci er	Avoir apprécié	Appréci ant	Appréci é, ée Ayant apprécié

VERBES EN -OYER ET -UYER: BROYER

Les verbes en -oyer et –uyer, pour adoucir la pronunciation, changent l'y du radical en i devant un e muet (términaisons e, es, ent, etc.). Exception: envoyer et renvoyer, qui sont irréguliers au futur et au conditionnel (V. ci-après, p. 30).

Remarquer la présence de l'i après y aux deux premières personnes du pluriel à l'imparfait de l'indicatif et au présent du subjonctif.

INDICATIF		CONDITIONNEL	SUBJONCTIF
Présent	***Passé composé***	***Présent***	***Présent***
Je br oie	J' ai broyé	Je br oierais	Que je br oie
tu br oies	tu as broyé	tu br oierais	que tu br oies
il br oie	il a broyé	il br oierait	qu'il br oie
nous br oyons	nous avons broyé	nous br oierions	que n. br oyions
vous br oyez	vous avez broyé	vous br oieriez	que v. br oyiez
ils br oient	ils ont broyé	ils br oieraient	qu'ils br oient
Imparfait	***Plus-que-parfait***	***Passé 1re forme***	***Imparfait***
Je br oyais	J' avais broyé	j' aurais broyé	Que je br oyasse
tu br oyais	tu avais broyé	tu aurais broyé	que tu br oyasses
il br oyait	il avait broyé	il aurait broyé, etc.	qu'il br oyât
nous br oyions	nous avions broyé		que n. br oyassions
vous br oyiez	vous aviez broyé	***Passé 2e forme***	que v. br oyassiez
ils br oyaient	ils avaient broyé		qu'ils br oyassent
		J' eusse br oyé	
Passé simple	***Passé antérieur***	tu eusses br oyé	***Passé***
		il eût br oyé, etc.	
Je br oyai	j' eus broyé		Que j' aie broyé
tu br oyas	tu eus broyé	**IMPÉRATIF**	que tu aies broyé
il br oya	il eût broyé		qu'il ait broyé
nous br oyâmes	nous eûmes broyé	***Présent***	que n. ayons broyé
vous br oyâtes	vous eûtes broyé		que v. ayez broyé
il br oyèrent	ils eurent broyé	Br oie	qu'ils aient broyé
		br oyons	
Futur simple	***Futur antérieur***	br oyez	***Plus-que-parfait***
Je br oierai	J' aurai broyé		Que j' eusse broyé
tu br oieras	tu auras broyé	***Passé***	que tu eusses broyé
il br oiera	il aura broyé		qu'il eût broyé
nous br oierons	nous aurons broyé	Aie broyé	que n. eussions broyé
vous br oierez	vous aurez broyé	ayons broyé	que v. eussiez broyé
il br oieront	ils auront broyé	ayez broyé	qu'ils eussent broyé

INFINITIF		PARTICIPE	
Présent	***Passé***	***Présent***	***Passé***
Br oyer	Avoir broyé	Br oyant	Br oyé, ée
			Ayant broyé

VERBES EN -AYER: PAYER

Les verbes em -ayer peuvent: 1° Conserver l'y dans toute la conjugaison; 2° remplacer l'y par un i devant un e muet. On écrit indifféremment: Je paye *ou je* paie.

Remarquer la présence de l'i après y aux deux premières personnes du pluriel à l'imparfait de l'indicatif et au présent du subjonctif.

INDICATIF

Présent

Je	pai e
tu	pai es
il	pai e
nous	pay ons
vous	pay ez
ils	pai ent

ou

je	pay e
tu	pay ès
il	pay e
ils	pay ent

Imparfait

je	pay ais
tu	pay ais
il	pay ait
nous	pay ions
vous	pay iez
ils	pay aient

Passé simple

Je	pay ai
Tu	pay as
il	pay a
Nous	pay âmes
Vous	pay âtes
Ils	pay èrent

Futur simple

Je	pay erai
tu	pay eras
il	pay era
nous	pay erons
vous	pay erez
ils	pay eront

ou

je	pay erai
tu	pay eras
il	pay era
nous	pay erons
vous	pay erez
ils	pay eront

Passé composé

J'	ai	payé
tu	as	payé
il	a	payé
nous	avons	payé
vous	avez	payé
ils	ont	payé

Plus-que-parfait

J'	avais	payé
tu	avais	payé
il	avait	payé
nous	avions	payé
vous	aviez	payé
ils	avaient	payé

Passé antérieur

J'	eus	payé
tu	eus	payé
il	eût	payé
nous	eûmes	payé
vous	eûtes	payé
ils	eurent	payé

Futur antérieur

J'	aurai	payé
tu	auras	payé
il	aura	payé
nous	aurons	payé
vous	aurez	payé
ils	auront	payé

CONDITIONNEL

Présent

Je	pai erais
tu	pai erais
il	pai erait
nous	pai erions
vous	pai eriez
ils	pai eraient

ou

Je	pay erais
tu	pay erais
il	pay erait
nous	pay erions
vous	pay eriez
ils	pay eraient

Passé 1re forme

J' aurais payé
tu aurais payé
il aurait payé, etc

Passé 2e forme

J' eusse payé
tu eusses payé
il eût payé, etc.

IMPÉRATIF

Présent

Pay e *ou* Paie
pay ons
pay ez

Passé

Aie payé
ayons payé
ayez payé

INFINITIF

Présent	Passé
Pay er	Avoir payé

PARTICIPE

Présent	Passé
Pay ant	Pay é, ee
	Ayant payé

SUBJONCTIF

Présent

Que je	pai e
que tu	pai es
qu'il	pai e
que n.	pay ions
que v.	pay iez
qu'ils	pai ent

ou

Que je	pay e
que tu	pay es
qu'il	pay e
qu'ils	pay ent

Imparfait

Que je	pay asse
que tu	pay asses
qu'il	pay ât
que n.	pay assions
que v.	pay assiez
qu'ils	pay assent

Passé

Que j'	aie	payé
que tu	aies	payé
qu'il	ait	payé
q. n.	ayons	payé
q. v.	ayez	payé
qu'ils	aient	payé

Plus-que-parfait

Que j'	eusse	payé
que tu	eusses	payé
qu'il	eût	payé
q. n.	eussions	payé
q. v.	eussiez	payé
qu'ils	eussent	payé

VERBE **ENVOYER**

INDICATIF

Présent

J'	envoie
tu	envoies
il	envoie
nous	envoyons
vous	envoyez
ils	envoient

Passé composé

J' ai envoyé
tu as envoyé
il a envoyé
nous avons envoyé
vous avez envoyé
ils ont envoyé

Imparfait

J'	envoyais
tu	envoyais
il	envoyait
nous	envoyions
vous	envoyiez
ils	envoyaient

Plus-que-parfait

J'	avais	envoyé
tu	avais	envoyé
il	avait	envoyé
nous	avions	envoyé
vous	aviez	envoyé
ils	avaient	envoyé

Passé simple

J'	envoyai
tu	envoyas
il	envoya
nous	envoyâmes
vous	envoyâtes
ils	envoyèrent

Passé antérieur

J'	eus	envoyé
tu	eus	envoyé
il	eût	envoyé
nous	eûmes	envoyé
vous	eûtes	envoyé
ils	eurent	envoyé

Futur simple

J'	enverrai
tu	enverras
il	enverra
nous	enverrons
vous	enverrez
Is	enverront

Futur antérieur

J'	aurai	envoyé
tu	auras	envoyé
il	aura	envoyé
nous	aurons	envoyé
vous	aurez	envoyé
ils	auront	envoyé

CONDITIONNEL

Présent

J'	enverrais
tu	enverrais
il	enverrait
nous	enverrions
vous	enverriez
ils	enverraient

Passé 1re forme

J' aurais envoyé
tu aurais enyoyé
il aurait envoyé, etc

Passé 2e forme

J' eusse enyoyé
tu eusse enyoyé
il eût envoyé, etc

IMPÉRATIF

Présent

Envoie
envoyons
envoyez

Passé

Aie	envoyé
ayons	envoyé
ayez	envoyé

SUBJONCTIF

Présent

Que j	envoie
que tu	envoies
qu'il	envoie
que n.	envoyions
que v.	envoyiez
qu'ils	envoient

Imparfait

Que j'	envoyasse
que tu	envoyasses
qu'il	envoyât
que n.	envoyassions
que v.	envoyassiez
qu'ils	envoyassent

Passé

Que j'	aie	envoyé
que tu	aies	envoyé
qu'il	ait	envoyé
que n.	ayons	envoyé
que v.	ayez	envoyé
qu'ils	aient	envoyé

Plus-que-parfait

Que j'	eusse	envoyé
que tu	eusses	envoyé
qu'il	eût	envoyé
que n.	eussions	envoyé
que v.	eussiez	envoyé
qu'ils	eussent	envoyé

INFINITIF

Présent	*Passé*
Envoyer	Avoir envoyé

PARTICIPE

Présent	*Passé*
Envoyant	Envoyé, ée ayant envoyé

Ainsi **se** conjugue **renvoyer**

VERBES DÉFECTIFS DU 1er GROUPE

PUER (Les formes en italique sont d'un emploi moins fréquent).

INDICATIF		CONDITIONNEL	SUBJONCTIF
Présent	***Passé composé***	***Présent***	***Présent***
Je pue, etc.	*J'ai pue,* etc.	Je puerais, etc	Que je pue, etc.
Imparfait	***Plus-que-parfait***	***Passé 1re forme***	***Imparfait***
Je puais, etc.	*J'avais pué,* etc	*j'aurais pué,* etc.	*Que je puasse,* etc
Passé simple	***Passé antérieur***	IMPÉRATIF	***Passé***
Je puai, etc.	*J'eus pué,* etc	***Présent***	*Que j'aie pué,* etc.
***Futur* simple**	**Futur *antérieur***	Pue, etc.	***Plus-que-parfait***
Je puerai, etc.	*J'aurai pué,* etc.		*Que j'eusse pué* etc

INFINITIF		PARTICIPE	
Présent	***Passé***	***Présent***	***Passé***
Puer	*Avoir pué*	Puant	Pué, *Ayant pué*

BEER

Verbe disparu de l'usage courant; a été remplacé par **bayer** dont il n'était qu'un doublet orthographique. Les deux formes usitées, outre l'infinitif, sont les suivantes, entièrement sorties de la conjugaison:

Participe présent: *Béant,* devenu adjectif.

Participe passé: *Bé,* *Bée* (cf. l'expression «*bouche* bée»).

AVERER

Au sens de *vérifier* n'a conservé que l'infinitif et le participe passé avéré.
S'avérer, qui prend de plus en plus le sens de se manifester, se conjugue régulièrement sur **céder** p. 18

ESTER, se *présenter en justice,* n'offre plus que l'infinitif présent et encore son emploi est-il limité à la langue du droit.

DEUXIÈME GROUPE

Infinit present en –ir; première personne du present de l'indicatif en **–is**; participe présent en **–issant.**

CONJUGAISON TYPE: **FIN –IR (1)**

INDICATIF		CONDITIONNEL	SUBJONCTIF
Présent	***Passé composé***	***Présent***	***Présent***
Je fin is	J' ai fini	Je fin irais	Que je fin isse
tu fin is	tu as fini	tu fin irais	que tu fin isses
il fin it	il a fini	il fin irait	qu'il fin isse
nous fin issons	nous avons fini	nous fin irions	que n. fin issions
vous fin issez	vous avez fini	vous fin iriez	que v. fin issiez
ils fin issent	ils ont fini	ils fin iraient	qu'ils fin issent
Imparfait	***Plus -que-parfait***	***Passé 1re forme***	***Imparfait***
Je fin issais	J' avais fini	J' aurais fini	Que je fin isse
tu fin issais	tu avais fini	Tu aurais fini	que tu fin isses
il fin issait	il avait fini	Il aurait fini	qu'il fin ît
nous fin issions	nous avions fini	Nous aurions fini	que n. fin issions
vous fin issiez	vous aviez fini	Vous auriez fini	que v. fin issiez
ils fin issaient	ils avaient fini	Ils auraient fini	qu'ils fin issent
Passé simple	***Passé antérieur***	***Passé 2e forme***	***Passé***
Je fin is	J' eus fini	J' eusse fini	Que j' aie fini
tu fin is	tu eus fini	tu eusses fini	que tu aies fini
il fin it	il eut fini	il eût fini	qu'il ait fini
nous fin îmes	nous eûmes fini	nous eussions fini	que n. ayons fini
vous fin îtes	vous eûtes fini	vous eussiez fini	que v. ayez fini
ils fin irent	ils eurent fini	ils eussent fini	qu'ils aient fini
Futur simple	***Futur antérieur***	**IMPÉRATIF**	***Plus-que-parfait***
		Présent	
Je fin irai	J' aurai fini	Fin is	Que j' eusse fini
tu fin iras	tu auras fini	fin issons	que tu eusses fini
il fin ira	il aura fini	fin issez	qu'il eût fini
nous fin irons	nous aurons fini		que n. eussions fini
vous fin irez	vous aurez fini	***Passé***	que v. eussiez fini
ils fin iront	ils auront fini	Aie fini	qu'il eussent fini
		ayons fini	
		ayez fini	

INFINITIF		PARTICIPE	
Présent	***Passé***	***Présent***	***Passé***
Fin ir	Avoir fini	Fin issant	Fin i, ie
			ayant fini

1. Ainsi se conjuguent environ 300 verbes en **-ir, -is, -issant.**

VERBE **HAÏR**

Haïr est *le seul* verbe de cette *terminaison; il* prend un tréma sur l'i dans toute sa *conjugaison,* excepté *aux* trois personnes du *singulier* du présent de *l'indicatif, et à la* deuxième personne du *singulier* de l'impé*ratif.*

INDICATIF

Présent		***Passé composé***		
Je	hais	J'	ai	haï
tu	hais	tu	as	haï
il	hait	il	a	haï
nous	haïssons	nous	avons	haï
vous	haïssez	vous	avez	haï
ils	haïssent	ils	ont	haï

Imparfait		***Plus-que-parfait***		
Je	haïssais	J'	avais	haï
tu	haïssais	tu	avais	haï
il	haïssait	il	avait	haï
nous	haïssions	nous	avions	haï
vous	haïssiez	vous	aviez	haï
ils	haïssaient	ils	avaient	haï

Passé simple		***Passé antérieur***		
Je	haïs	J'	eus	haï
tu	haïs	tu	eus	haï
il	haït	il	eût	haï
nous	haïmes	nous	eûmes	haï
vous	haïtes	vous	eûtes	haï
ils	haïrent	ils	eurent	haï

Futur simple		***Futur antérieur***		
Je	haïrai	J'	aurai	haï
tu	haïras	tu	auras	haï
il	haïra	il	aura	haï
nous	haïrons	nous	aurons	haï
vous	haïrez	vous	aurez	haï
ils	haïront	ils	auront	haï

CONDITIONNEL

Présent

Je	haï rais
tu	haï rais
il	haï rait
nous	haï rions
vous	haï riez
ils	haï raient

Passé 1re forme

J' aurais haï
tu aurais haï
il aurait haï, etc.

Passé 2e forme

J' eusse haï
tu eusses haï
il eût haï, etc.

IMPÉRATIF

Présent

Hai s
haï ssons
haï ssez

Passé

Aie haï
ayons haï
ayez haï

SUBJONCTIF

Présent

Que je	haï sse
que tu	haï sses
qu'il	haï sse
que n.	haï ssïons
que v.	haï ssiez
qu'ils	haï ssent

Imparfait

Que je	haï sse
que tu	haï sses
qu'il	haï t
que n.	haï ssions
que v.	haï ssiez
qu'ils	haï ssent

Passé

Que j.	aie	haï
que tu	aies	haï
qu'il	ait	haï
que n.	ayons	haï
que v.	ayez	haï
qu'ils	aient	haï

Plus-que-parfait

Que j'	eusse	haï
que tu	eusses	haï
qu'il	eût	haï
que n.	eussions	haï
que v.	eussiez	haï
qu'ils	eussent	haï

INFINITIF

Présent	***Passé***
Hair	Avoir haï

PARTICIPE

Présent	***Passé***
Haissant	Haï, ie
	Ayant haï

TROISIEME GROUPE

Le 3e groupe comprend:

1° Le verbe **aller** (p. 35).

2° Les verbes en **-ir** **qui n'ont pas la première personne du présent de l'indicatif en** ***-is*** **et le participe présent en -issant** (p. 36 à 50).

3° Tous les verbes en **-oir** (p. 51 à 65).

4° Tous les verbes en **-re** (p. 66 à 98).

PARTICULARITÉS DES VERBES DU 3e GROUPE

La *Grammaire de l'Académie* s'exprime ainsi, p. 122:

Les verbes du 3e groupe sont caractérisés presque tous par un changement de voyelle qui se fait dans le radical au présent de l'Indicatif, au présent de l'Impératif, au présent du Subjonctif, par suite des lois de l'accent tonique. Les trois personnes du singulier et la troisième personne du pluriel n'ont pas la même voyelle que la première et la deuxième personne du pluriel: *Je veux, nous voulons; je meurs, nous mourons; je viens, nous venons: j'acquiers, nous acquérons. Nous faisons* se prononce comme s'il y avait, à la place de *ai,* un e muet, tandis que *je fais* se prononce comme s'il y avait un e ouvert.

Le passé simple, dans le 3e groupe, est tantôt en *is: Je fis, je dormis,* tantôt en *us: Je valus; tenir* et *venir* font: *Je tins, je vins.*

Le participe passé est tantôt en *i: Dormi, senti, servi, tantôt* en *u: Valu, tenu, venu,* etc. Dans un certain nombre de verbes appartenant à ce groupe, le participe passé n'a pas à proprement parler de terminaison et n'**est** qu'une modification du radical: *né, pris, fait, dit, etc.*

VERBE **ALLER**

INDICATIF		CONDITIONNEL	SUBJONCTIF
Présent	***Passé composé***	***Présent***	***Présent***
Je vais	je suis allé	J' irais	Que j' aille
tu vas	tu es allé	tu irais	que tu ailles
il va	il est allé	il irait	qu'il aille
nous allons	nous sommes allés	nous irions	que n. allions
vous allez	vous êtes allés	vous iriez	que v. alliez
ils vont	ils sont allés	ils iraient	qu'ils aillent
Imparfait	***Plus-que-parfait***	***Passé 1re forme***	***Imparfait***
J' allais	J' étais allé	Je serais allé	Que j' allasse
tu allais	tu étais allé	tu serais allé	que tu allasses
il allait	il était allé	il serait allé, etc.	qu'il allât
nous allions	nous étions allés		que n. allassions
vous alliez	vous étiez allés	***Passé 2e forme***	que v. allassiez
ils allaient	ils étaient allés	je fusse allé	qu'ils allassent
Passé simple	***Passé antérieur***	tu fusses allé	***Passé***
J' allai	Je fus allé	il fût allé, etc.	que je sois allé
tu allas	tu fus allé		que tu sois allé
il alla	il fut allé		qu'il soit allé
nous allâmes	nous fûmes allés	**IMPÉRATIF**	que n. soyons allés
vous allâtes	vous fûtes allés		que v. soyez allés
ils allèrent	ils furent allés	***Présent***	qu'ils soient allés
Futur *simple*	***Futur antérieur***	Va	***Plus-que-parfait***
j' irai	Je serai allé	allons	Que je fusse allé
tu iras	tu seras allé	allez	que tu fusses allé
il ira	il sera allé		qu'il fût allé
nous irons	nous serons allés		que n. fussions allés
vous irez	vous serez allés		que v. fussiez allés
ils iront	ils seront allés		qu'ils fussent allés

INFINITIF		PARTICIPE	
Présent	***Passé***	***Présent***	***Passé***
Aller	Être allé	Allant	Allé, ée
			Étant allé

Nota. — A l'impératif, devant **y** et **en**, l'Académie écrit: **vas-y, vas-en savoir des nouvelles.** A la forme Interrògative, on ècrit: **va-t-il** à la troisième personne du singulier du présent de l'indicatif.

Le verbe aller est, comme on le voit, très variable dans son radical. Le radical de l'infinitif *all*, se trouve devant toutes les terminaisons, excepté dans les personnes suivantes: Indicatif présent: *Je vais, tu vas, il va, ils vont.* — Futur: *J'i-rai*, etc — Au conditionnel: *J'i-rais*, etc. — Impératif: *Va.* — Subjonctif présent: *Que j'aille, que tu ailles, qu'il aille, que nous allions, que vous alliez, qu'ils aillent.*

S'en aller se conjugue comme **aller.** Aux temps composés, on met le verbe **être** entre **en** et **allé: je m'en suis allé,** et non: **je me suis en allé.** L'impératif est: **va-t'en, allons-nous-en, allez-vous-en.**

On dit quelquefois: **Je fus, j'ai été, j'avais été,** etc.. pour: **j'allai, je suis allé,** etc.

VERBES EN –MIR: **DORMIR**

INDICATIF

Présent

je	dors
tu	dors
il	dort
nous	dorm ons
vous	dorm ez
ils	dorm ent

Passé composé

J'	ai	dormi
tu	as	dormi
il	a	dormi
nous	avons	dormi
vous	avez	dormi
ils	ont	dormi

Imparfait

Je	dorm ais
tu	dorm ais
il	dorm ait
nous	dorm ions
vous	dorm iez
ils	dorm aient

Plus-que-parfait

J'	avais	dormi
tu	avais	dormi
il	avait	dormi
nous	avions	dormi
vous	aviez	dormi
ils	avaient	dormi

Passé simple

Je	dorm is
tu	dorm is
il	dorm it
nous	dorm îmes
vous	dorm îtes
ils	dorm irent

Passé antérieur

J'	eus	dormi
tu	eus	dormi
il	eut	dormi
nous	eûmes	dormi
vous	eûtes	dormi
ils	eurent	dormi

Futur simple

Je	dorm irai
tu	dorm iras
il	dorm ira
nous	dorm irons
vous	dorm irez
ils	dorm iront

Futur antérieur

J'	aurai	dormi
tu	auras	dormi
il	aura	dormi
nous	aurons	dormi
vous	aurez	dormi
ils	auront	dormi

CONDITIONNEL

Présent

Je	dorm irais
tu	dorm irait
il	dorm irait
nous	dorm irions
vous	dorm iriez
ils	dorm iraient

Passé 1re forme

J' aurais dormi
tu aurais dormi
il aurait dormi, etc.

Passe 2e forme

J' eusse dormi
tu eusses dormi
il eût dormi, etc.

IMPÉRATIF

Présent

Dors
dorm ons

Passé

Aie dormi
ayons dormi
ayez dormi

SUBJONCTIF

Présent

Que je	dorm e
que tu	dorm es
qu'il	dorm e
que n.	dorm ions
que v.	dorm iez
qu'ils	dorm ent

Imparfait

Que je	dorm isse
que tu	dorm isses
qu'il	dorm ît
que n.	dorm issions
que v.	dorm issiez
qu'ils	dorm issent

Passé

Que j'	aie	dormi
que tu	aies	dormi
qu'il	ait	dormi
que n.	ayons	dormi
que v.	ayez	dormi
qu'ils	aient	dormi

Plus-que-parfait

Que j'	eusse	dormi
que tu	eusses	dormi
qu'il	eût	dormi
que n.	eussions	dormi
que v.	eussiez	dormi
qu'ils	eussent	dormi

INFINITIF

Présent	*Passé*
Dorm ir	Avoir dormi

PARTICIPE

Présent	*Passé*
Dorm ant	Dorm i ayant dormi

Ainsi se conjuguent: **Endormir, rendormir.** Ces deux verbes ont le participe passé variable, **endormi, endormie. S'endormir,** verbe pronominal prend l'auxiliaire être dans sés temps composés. **Je me suis endormi, elle s'est endormie,** etc.

Même remarque pour **se rendormir.**

VERBES EN –ENIR: TENIR

INDICATIF				CONDITIONNEL		SUBJONCTIF	
Présent		***Passé composé***		***Présent***		***Présent***	
Je	tiens	J'	ai tenu	Je	tiendrais	Que je	t ienne
tu	tiens	tu	as tenu	tu	tiendrais	que tu	t iennes
il	tient	il	a tenu	il	tiendrait	qu'il	t ienne
nous	tenons	nous	avons tenu	nous	tiendrions	que n.	t enions
vous	tenez	vous	avez tenu	vous	tiendriez	que v.	t eniez
ils	tiennent	ils	ont tenu	ils	tiendraient	qu'ils	t iennent
Imparfait		***Plus-que-parfait***		***Passé 1re forme***		***Imparfait***	
Je	tenais	J'	avais tenu	J' aurais tenu		Que je	t insse
tu	tenais	tu	avais tenu	tu aurais tenu		que tu	t insses
il	tenait	il	avait tenu	il aurait tenu, etc.		qu'il	t înt
nous	tenions	nous	avions tenu			que n.	t inssions
vous	teniez	vous	aviez tenu	***Passé 2e forme***		que v.	t inssiez
ils	tenaient	ils	avaient tenu			qu'ils	t inssent
				J' eusse tenu			
Passé simple		***Passé antérieur***		tu eusses tenu		***Passé***	
				il eût tenu, etc			
Je	tins	J'	eus tenu			Que j'	aie tenu
tu	tins	tu	eus tenu			que tu	aies tenu
il	tint	il	eut tenu	**IMPÉRATIF**		qu'il	ait tenu
nous	tinmes	nous	eûmes tenu			que n.	ayons tenu
vous	tintes	vous	eûtes tenu	***Présent***		que v.	ayez tenu
ils	tinrent	ils	eurent tenu			qu'ils	aient tenu
				Tiens			
Futur simple		***Futur antérieur***		tenons		***Plus-que-parfait***	
				tenez			
Je	tiendrai	J'	aurai tenu			Que j'	eusse tenu
tu	tiendras	tu	auras tenu	***Passé***		que tu	eusses tenu
il	tiendra	il	aura tenu			qu'il	eût tenu
nous	tiendrons	nous	aurons tenu	Aie tenu		que n.	eussions tenu
vous	tiendrez	vous	aurez tenu	ayons tenu		que v.	eussiez tenu
ils	tiendront	ils	auront tenu	ayez tenu		qu'ils	eussent tenu

INFINITIF		PARTICIPE	
Présent	***Passé***	***Présent***	***Passé***
Tenir	Avoir tenu	Tenant	Tenu, ue ayant tenu

Ainsi se conjuguent venire e **advenir**. Mais celui-ci ne s'emploie qu'aux troisième personne du singulier et du pluriel. Aux temps composés ils prennent tous deux l'auxiliaire **être.**

VERBES EN -AILLIR: **ASSAILLIR**

INDICATIF

Présent

J' assaill e
tu assaill es
il assaill e
nous assaill ons
vous assaill ez
ils assaill ent

Passé composé

J' ai assailli
tu as assailli
il a assailli
nous avons assailli
vous avez assailli
ils ont assailli

Imparfait

J' assaill ais
tu assaill ais
il assaill ait
nous assaill ions
vous assaill iez
ils assaill aient

Plus-que-parfait

J' avais assailli
tu avais assailli
il avait assailli
nous avions assailli
vous aviez assailli
ils avaient assailli

Passé simple

J' assaill is
tu assaill is
il assaill it
nous assaill îmes
vous assaill îtes
ils assaill irent

Passé antérieur

J' eus assailli
tu eus assailli
il eut assailli
nous eûmes assailli
vous eûtes assailli
ils eurent assailli

Futur simple

J' assaill irai
tu assaill iras
il assaill ira
nous assaill irons
vous assaill irez
vous assaill iront

Futur antérieur

J' aurai assailli
tu auras assailli
il aura assailli
nous aurons assailli
vous aurez assailli
ils auront assailli

CONDITIONNEL

Présent

J' assaill irais
tu assaill irais
il assaill irait
nous assaill irions
vous assaill iriez
ils assaill iraient

Passé 1re forme

J' aurais assailli
tu aurais assailli
il aurait assailli, etc

Passé 2e forme

j' eusse assailli
tu eusses assailli
il eût assailli, etc,

IMPÉRATIF

Présent

Assaill e
assaill ons
assaill ez

Passé

Aie assailli
ayons assailli
ayez assailli

SUBJONCTIF

Présent

Que j' assaill e
que tu assaill es
qu'il assaill e
que n. assaill ions
que v. assaill iez
qu'ils assaill ent

Imparfait

Que j' assaill isse
que tu assaill isses
qu'il assaill ît
que n. assaill issions
que v. assaill issiez
qu'ils assaill issent

Passé

Que j' aie assailli
que tu aies assailli
qu'il ait assailli
que n. ayons assailli
que v. ayez assailli
qu'ils aient assailli

Plus-que-parfait

Que j' eusse assailli
que tu eusses assailli
qu'il eût assailli
que n. eussions assailli
que v. eussiez assailli
qu'ils eussent assailli

INFINITIF

Présent: Assaill ir

Passé: Avoir assailli

PARTICIPE

Présent: Assail ant

Passé: Assailli, ie
ayant assailli

Remarque — L'Académie fait observer que quelques prosateurs célèbres on écrit par euphonie: **Il tressaillit** au présent de l'indicatif: mais elle est loin d'autoriser cette licence: elle écrit elle-même: **Il tressaille de joie.**

VERBE **FAILLIR**

INDICATIF		CONDITIONNEL	SUBJONCTIF
Présent	***Passé composé***	***Présent***	***Présent***
Je *faux* Tu *faux* il *faut* nous *faillons* vous *faillez* ils *faillent*	J'ai failli, etc.	Je faillirais, etc. Je *faudrais,* etc. ***Passé 1re forme***	Que je *faille,* etc.
Imparfait	***Plus-que-parfait***	J'aurais failli...	***Imparfait***
Je *faillais,* etc.	J'avais failli...		Que je *failisse,*
Passé simple	***Passé antérieur***		***Passé***
Je faillis, etc.	J'eus faillis, etc.	**IMPÉRATIF**	Que j'aie failli, etc.
Futur simple	***Futur antérieur***	***Présent***	***Plus-que-parfait***
Je faillirai, etc. Je faudrai, etc.	J'aurai failli, etc.	.....	Que j'eusse failli

INFINITIF		PARTICIPE	
Présent	***Passé***	***Présent***	***Passé***
Faillir	Avoir failli	*Faillant*	Failli ayant failli

Ces formes sont celles qui correspondent au sens général de *manquer*: soit *manquer* de, semi-auxiliaire habituellement suivi d'un infinitif. Ex.: *J'ai failli tomber;* soit *manquer à.* Ex.: *Je ne faillirai pas à mon devoir.* Dans ce dernier sens on trouve des formes archaïques, pratiquement mortes. Ex.: *Le coeur me faut.* Ce sont elles qui sont signalées ci-dessus en italique.

Au sens de *faire faillite,* ce verbe se conjugue régulièrement sur **finir**), p. 32.

VERBE **DÉFAILLIR**

Ce verbe se conjugue entièrement sur **Assaillir,** p. 38, mais l'usage semble hésiter sur l'emploi de certains temps (singulier du présent de l'indicatif, futur simple et conditionnel) sans doute en raison de la persistance de formes archaïques aujourd'hui sorties de l'usage courant, telles que:

IND. Prés.: *Je défaux, tu défaux, il défaut.*

IND. Fut.: *Je défaudrai.*

VERBES EN -EILLIR: **CUEILLIR**

INDICATIF

Présent

Je	cueill e
tu	cueill es
il	cueill e
nous	cueill ons
vous	
ils	cueill ent

Passé composé

J'	ai	cueilli
tu	as	cueilli
il	a	cueilli
nous	avons	cueilli
vous	avez	cueilli
ils	ont	cueilli

Imparfait

Je	cueill ais
tu	cueill ais
il	cueill ait
nous	cueill ions
vous	cueill iez
ils	cueill aient

Plus-que-parfait

J'	avais	cueilli
tu	avais	cueilli
il	avait	cueilli
nous	avions	cueilli
vous	aviez	cueilli
ils	avaient	cueilli

Passé simple

je	cueill is
tu	cueill is
il	cueill it
nous	cueill îmes
vous	cueill îtes
ils	cueill irent

Passé antérieur

J'	eus	cueilli
tu	eus	cueilli
il	eut	cueilli
nous	eûmes	cueilli
vous	eûtes	cueilli
ils	eurent	cueilli

Futur simple

je	cueill erai
tu	cueill eras
il	cueill era
nous	cueill erons
vous	cueill erez
ils	cueill eront

Futur antérieur

j'	aurai	cueilli
tu	auras	cueilli
il	aura	cueilli
nous	aurons	cueilli
vous	aurez	cueilli
ils	auront	cueilli

CONDITIONNEL

Présent

Je	cueill erais
tu	cueill erais
il	cueill erait
nous	cueill erions
vous	cueill eriez
ils	cueill eraient

Passé 1re forme

J' aurais cueilli
tu aurais cueilli
il aurait cueilli, etc.

Passé 2e forme

j' eusse cueilli
tu eusses cueilli
il eût cueilli, etc.

IMPÉRATIF

Présent

Cueill e
cueill ons
cueill ez

Passé

Aie cueilli
ayons cueilli
ayez cueilli

SUBJONCTIF

Présent

Que je	cueill e
que tu	cueill es
es qu'il	cueill e
que n.	cueill ions
que v.	cueill iez
qu'ils	cueill ent

Imparfait

Que je	cueill isse
que tu	cueill isses
qu'il	cueill ît
que n.	cueill issions
que v.	cueill issiez
qu'ils	cueill issent

Passé

Que j'	aie	cueilli
que tu	aies	cueilli
qu'il	ait	cueilli
que n.	ayons	cueilli
que v.	ayez	cueilli
qu'ils	aient	cueilli

Plus-que-parfait

Que j'	eusse	cueilli
que tu	eusses	cueilli
qu'il	eût	cueilli
que n.	eussions	cueilli
que v.	eussiez	cueilli
qu'ils	eussent	cueilli

INFINITIF

Présent	*Passé*
Cueillir	Avoir cueilli

PARTICIPE

Présent	*Passé*
Cueill ant	Cueill i, ie
	Ayant cueilli

VERBES EN -OUILLIR: **BOUILLIR**

INDICATIF

Présent		*Passé composé*		
Je	bous	J.	ai	bouilli
tu	bous	tu	as	bouilli
il	bout	il	a	bouilli
nous	bouill ons	nous	avons	bouilli
vous	bouill ez	vous	avez	bouilli
ils	bouill ent	ils	ont	bouilli

Imparfait		*Plus-que-parfait*		
Je	bouill ais	J'	avais	bouilli
tu	bouill ais	tu	avais	bouilli
il	bouill ait	il	avait	bouilli
nous	bouill ions	nous	avions	bouilli
vous	bouill iez	vous	aviez	bouilli
ils	bouill aient	ils	avaient	bouilli

Passé simple		*Passé antérieur*		
Je	bouill is	J'	eus	bouilli
tu	bouill is	tu	eus	bouilli
il	bouill it	il	eut	bouilli
nous	bouill îmes	nous	eûmes	bouilli
vous	bouill îtes	vous	eûtes	bouilli
ils	bouill irent	ils	eurent	bouilli

Futur simple		*Futur antérieur*		
Je	bouill irai	J'	aurai	bouilli
tu	bouill íras	tu	auras	bouilli
il	bouill ira	il	aura	bouilli
nous	bouill irons	nous	aurons	bouilli
vous	bouill irez	vous	aurez	bouilli
ils	bouill iront	ils	auront	bouilli

CONDITIONNEL

Présent

Je	bouill irais
tu	bouill irais
il	bouill irait
nous	bouill irions
vous	bouill iriez
ils	bouill iraient

Passé 1re forme

J' aurais bouilli
tu aurais bouilli
il aurait bouilli, etc.

Passé 2e forme

J' eusse bouilli
tu eusses bouilli
il eût bouilli, etc.

IMPÉRATIF

Présent

Bou s
bouill ons
bouill ez

Passé

Aie bouilli
ayons bouilli
ayez bouilli

SUBJONCTIF

Présent

Que je	bouill e
que tu	bouill es
qu'il	bouill e
que n.	bouill ions
que v.	bouill iez
qu'ils	bouill ent

Imparfait

Que je	bouill isse
que tu	bouill isses
qu'il	bouill ît
que n.	bouill issions
que v.	bouill issiez
qu'ils	bouill issent

Passé

Que j'	aie	bouilli
que tu	aies	bouilli
qu'il	ait	bouilli
que n.	ayons	bouilli
que v.	ayez	bouilli
qu'ils	aient	bouilli

Plus-que-parfait

Que j'	eusse	bouilli
que tu	eusses	bouilli
qu'il	eût	bouilli
que n.	eussions	bouilli
que v.	eussiez	bouilli
qu'ils	eussent	bouilli

INFINITIF

Présent	*Passé*
Boulli ir	Avoir boulli

PARTICIPE

Présent	*Passé*
Bouill ant	Bouill i, ie Ayant bouilli

VERBES EN -TIR: **MENTIR**

INFINITIF

Présent

Je	mens
tu	mens
il	ment
nous	mentons
vous	mentez
ils	mentent

Passe composé

J'	ai	menti
tu	as	menti
il	a	menti
nous	avons	menti
vous	avez	menti
ils	ont	menti

Imparfait

Je	ment ais
tu	ment ais
il	ment ait
nous	ment ions
vous	ment iez
ils	ment aient

Plus-que-parfait

J'	avais	menti
tu	avais	menti
il	avait	menti
nous	avions	menti
vous	aviez	menti
il	avaient	menti

Passé simple

Je	ment is
tu	ment is
il	ment it
nous	ment îmes
vous	ment îtes
ils	ment irent

Passé antérieur

J'	eus	menti
tu	eus	menti
il	eut	ment
nous	eûmes	menti
vous	eûtes	menti
ils	eurent	menti

Futur simple

Je	ment irai
tu	ment iras
il	ment ira
nous	ment irons
vous	ment irez
ils	ment iront

Futur antérieur

J'	aurai	menti
tu	auras	menti
il	aura	menti
nous	aurons	menti
vous	aurez	menti
ils	auront	menti

CONDITIONNEL

Présent

Je	ment irais
tu	ment irais
il	ment irait
nous	ment irions
vous	ment iriez
ils	ment iraient

Passé 1re forme

J' aurais menti
tu aurais menti
il aurait menti, etc.

Passé 2e forme

J' eusse menti
tu eusses menti
il eût menti, etc.

IMPÉRATIF

Présent

Mens
ment ons
ment ez

Passé

Aie menti
ayons menti
ayez menti

SUBJONCTIF

Présent

Que je	ment e
que tu	ment es
qu'il	ment e
que n.	ment ions
que v.	ment iez
qu'ils	ment ent

Imparfait

que je	ment isse
que tu	ment isses
qu'il	ment ît
que n.	ment issions
que v.	ment issiez
qu'ils	ment issent

Passé

Que j'	aie	menti
que tu	aies	menti
qu'il	ait	menti
que n.	ayons	menti
que v.	ayez	menti
qu'ils	aient	menti

Plus-que-parfait

Que j'	eusse	menti
que tu	eusses	menti
qu'il	eût	menti
que n.	eussions	menti
que v.	eussiez	menti
qu'ils	eussent	menti

INFINITIF

Présent	***Passé***
Ment ir	Avoir menti

PARTICIPE

Présent	***Passé***
Ment ant	Ment i , ie ayant menti

VERBES EN –ÊTIR: **VÊTIR**

INDICATIF

Présent		*Passé composé*		
Je	vêts	J'	ai	vêtu
tu	vêts	tu	as	vêtu
il	vêt	il	a	vêtu
nous	vêtons	nous	avons	vêtu
vous	vêtez	vous	avez	vêtu
ils	vêtent	ils	ont	vêtu
Imparfait		***Plus-que-parfait***		
Je	vêtais	J'	avais	vêtu
tu	vêtais	tu	avais	vêtu
il	vêtait	il	avait	vêtu
nous	vêtions	nous	avions	vêtu
vous	vêtiez	vous	aviez	vêtu
ils	vêtaient	ils	avaient	vêtu
Passé simple		***Passé antérieur***		
Je	vêtis	J'	eus	vêtu
tu	vêtis	tu	eus	vêtu
il	vêtit	il	eut	vêtu
nous	vêtimes	nous	eûmes	vêtu
vous	vêtites	vous	eûtes	vêtu
ils	vêtirent	ils	eurent	vêtu
Futur simple		***Futur antérieur***		
Je	vêtirai	J'	aurai	vêtu
Tu	vêtiras	tu	auras	vêtu
il	vêtira	il	aura	vêtu
nous	vêtirons	nous	aurons	vêtu
vous	vêtirez	vous	aurez	vêtu
ils	vêtiront	ils	auront	vêtu

CONDITIONNEL

Présent

Je	vêtirais
tu	vêtirais
il	vêtirait
nous	vêtirions
vous	vêtiriez
ils	vêtiraient

Passé 1re forme

J' aurais vêtu
tu aurais vêtu
il aurait vêtu, etc

Passé 2e forme

J' eusse vêtu
tu eusses vêtu
il eût vêtu, etc

IMPÉRATIF

Présent

Vêts
vêtons
vêtez

Passé

Aie vêtu
ayons vêtu
ayez vêtu

SUBJONCTIF

Présent		
Que je	vête	
que tu	vêtes	
qu'il	vête	
que n.	vêtions	
que v	vêtiez	
qu'ils	vêtent	
Imparfait		
Que je	vêtisse	
que tu	vêtisses	
qu'il	vêtît	
que n.	vêtissions	
que v.	vêtissiez	
qu'ils	vêtissent	
Passé		
Que j'	aie	vêtu
que tu	aies	vêtu
qu'i1	ait	vêtu
que n.	ayons	vêtu
que v.	ayez	vêtu
qu'ils	aient	vêtu
Plus-que-parfait		
Que j'	eusse	vêtu
que tu	eusses	vêtu
qu'il	eût	vêtu
que n.	eussions	vêtu
que v.	eussiez	vêtu
qu'ils	eussent	vêtu

INFINITIF

Présent	*Passé*
Vêtir	Avoir vêtu

PARTICIPE

Présent	*Passé*
Vêtant	Vêtu, ue ayant vêtu

Remarques. — Le singulier du présent de l'indicatif et l'impératif ne sont guère usités (Académie).

Un grand nombre d'écrivains ont conjugué ce verbe sur finir: *Dieu leur a refusé le cocotier qui ombrage, loge,* **vêtit,** *nourrit et abreuve les enfants de Brahma* (Voltaire). *Le poil du chameau, qui se renouvelle tous les ans por une mue complète, sert aux Arabes à faire des étoffes dont ils se* **vêtissent** et se *meublent* (Buffon).

Les sauvages vivaient et se **vêtissaient** *du* produit de leurs chasses (Chateaubriand).

Comme un fils de Morven, me **vêtissant** d'orages (Lamartine.)

Ce serait, a-t-on dit, pousser le rigorisme au-delà de ses bornes, que de ne pas admettre, après d'aussi imposantes autorités, ces formes bien plus agréables à l'oreills que les formes si sourdes: *vêt, vêtent, vêtaient, vêtant,* seules admises jusqu' à ce jour par les grammairiens dans la conjugaison de ce verbe. Nous croyons cependant que dans les composès de ce verbe, la forme primitive vêt est préférable: *il revêt, revêtant.*

VERBES EN **-ÉRIR**: ACQUÉRIR

INDICATIF

Présent	***Passé composé***
J' acqu iers	J' ai acquis
tu acqu iers	tu as acquis
il acqu iert	il a acquis
nous acqu érons	nous avons acquis
vous acqu érez	vous avez acquis
ils acqu ièrent	ils ont acquis
Imparfait	***Plus-que-parfait***
J' acqu érais	J' avais acquis
tu acqu érais	tu avais acquis
il acqu érait	il avait acquis
nous acqu érions	nous avions acquis
vous acqu ériez	vous aviez acquis
ils acqu éraient	ils avaient acquis
Passé simple	***Passé antérieur***
J' acqu is	J' eus acquis
tu acqu is	tu eus acquis
il acqu it	il eut acquis
nous acqu îmes	nous eûmes acquis
vous acqu îtes	vous eûtes acquis
ils acqu irent	ils eurent acquis
Futur simple	***Futur antérieur***
J' acqu errai	J' aurai acquis
tu acqu erras	tu aura acquis
il acqu erra	il aura acquis
nous acqu errons	nous aurons acquis
vous acqu errez	vous aurez acquis
ils acqu erront	ils auront acquis

CONDITIONNEL

Présent

J' acqu errais
tu acqu errais
il acqu errait
nous acqu errions
vous acqu erriez
ils acqu erraient

Passé 1re forme

J' aurais acquis
tu aurais acquis
il aurait acquis, etc.

Passé 2e forme

J' eusse acquis
tu eusses acquis
il eût acquis, etc.

IMPÉRATIF

Présent

Acqu iers
acqu érons
acqu érez

Passé

Aie acquis
ayons acquis
ayez acquis

SUBJONCTIF

Présent

Que j' acqu ière
que tu acqu ières
qu'il acqu ière
que n. acqu érions
que v. acqu ériez
qu'ils acqu ièrent

Imparfait

Que j' acqu isse
que tu acqu isses
qu'il acqu ît
que n. acqu issions
que v. acqu issiez
qu'ils acqu issent

Passé

Que j' aie acquis
que tu aies acquis
qu'il ait acquis
que n. ayons acquis
que v. ayez acquis
qu'ils aient acquis

Plus-que-parfait

Que j' eusse acquis
que tu eusses acquis
qu'il eût acquis
que n. eussions acquis
que v. eussiez acqui
qu'ils eussent acqui

INFINITIF

Présent	***Passé***
Acqu érir	Avoir acquis

PARTICIPE

Présent	***Passé***
Acqu érant	Acqu is, ise ayant acquis

VERBE **SERVIR**

INDICATIF

Présent

Je sers
tu sers
il sert
nous serv ons
vous serv ez
ils serv ent

Passé composé

j' ai servi
tu as servi
il a servi
nous avons servi
vous avez servi
ils ont servi

Imparfait

Je serv ais
tu serv ais
il serv ait
nous serv ions
vous serv iez
ils serv aient

Plus-que-parfait

j' avais servi
tu avais servi
il avait servi
nous avions servi
vous aviez servi
il avaient servi

Passé simple

Je serv is
tu serv is
il serv it
nous serv îmes
vous serv îtes
ils serv irent

Passé antérieur

J' eus servi
tu eus servi
il eut servi
nous eûmes servi
vous eûtes servi
ils eurent servi

Futur simple

Je serv irai
tu serv iras
il serv ira
nous serv irons
vous serv irez
ils serv iront

Futur antérieur

j' aurai servi
tu auras servi
il aura servi
nous aurons servi
vous aurez servi
ils auront servi

CONDITIONNEL

Présent

Je serv irais
tu serv irais
il serv irait
nous serv irions
vous serv iriez
ils serv iraient

Passé 1re forme

J' aurais servi
tu aurais servi
il aurait servi, etc.

Passé 2e forme

J' eusse servi
tu eusses servi
il eût servi, etc.

IMPÉRATIF

Présent

Sers
serv ons
serv ez

Passé

Aie servi
ayez servi
ayons servi

SUBJONCTIF

Présent

Que je serv e
que tu serv es
qu'il serv e
que n. serv ions
que v. serv iez
qu'ils serv ent

Imparfait

Que je serv isse
que tu serv isses
qu'il serv ît
que n. serv issions
que v. serv issiez
qu'ils serv issent

Passé

Que j' aie servi
que tu aies servi
qu'il ait servi
que n. ayons servi
que v. ayez servi
qu'ils aient servi

Plus-que-parfait

Que j' eusse servi
que tu eusses servi
qu'il eût servi
que n. eussions servi
que v. eussiez servi
qu'ils eussent servi

INFINITIF

Présent	*Passé*
Serv ir	Avoir servi

PARTICIPE

Présent	*Passé*
Serv ant	Serv i, ie ayant servi

Remarque: — Desservir se conjugue comme servir.

VERBES EN -UIR: **FUIR**

INDICATIF

Présent		*Passé composé*		
Je	fuis	J'	ai	fui
tu	fuis	tu	as	fui
il	fuit	il	a	fui
nous	fuyons	nous	avons	fui
vous	fuyez	vous	avez	fui
ils	fuient	ils	ont	fui

Imparfait		*Plus-que-parfait*		
Je	fuyais	J'	avais	fui
tu	fuyais	tu	avais	fui
il	fuyait	il	avait	fui
nous	fuyions	nous	avions	fui
vous	fuyiez	vous	aviez	fui
ils	fuyaient	ils	avaient	fui

Passé simple		*Passé antérieur*		
Je	fuis	j'	eus	fui
tu	fuis	tu	eus	fui
il	fuit	il	eut	fui
nous	fuîmes	nous	eûmes	fui
vous	fuîtes	vous	eûtes	fui
ils	fuirent	ils	eurent	fui

Futur simple		*Futur antérieur*		
Je	fuirai	J'	aurai	fui
tu	fuiras	tu	auras	fui
il	fuira	il	aura	fui
nous	fuirons	nous	aurons	fui
vous	fuirez	vous	aurez	fui
ils	fuiront	ils	auront	fui

CONDITIONNEL

Présent	
Je	fuirais
tu	fuirais
il	fuirait
nous	fuirions
vous	fuiriez
ils	fuiraient

Passé 1re forme

J' aurais fui
tu aurais fui
il aurait fui, etc.

Passé 2e forme

J' eusse fui
tu eusses fui
il eût fui, etc.

SUBJONCTIF

Présent	
Que je	fuie
que tu	fuies
qu'il	fuie
que n.	fuyions
que v.	fuyiez
qu'ils	fuient

Imparfait	
Que je	fuisse
que tu	fuisses
qu'il	fuît
que n.	fuissions
que v.	fuissiez
qu'ils	fuissent

Passé		
Que j'	aie	fui
que tu	aies	fui
qu'il	ait	fui
que n.	ayons	fui
que v.	ayez	fui
qu'ils	aient	fui

Plus-que-parfait		
Que j'	eusse	fui
que tu	eusses	fui
qu'il	eût	fui
que n.	eussions	fui
que v.	eussiez	fui
qu'ils	eussent	fui

IMPÉRATIF

Présent

Fuis
Fuyons
Fuyez

Passé

Aie fui
ayons fui
ayez fui

INFINITIF

Présent	*Passé*
Fuir	Avoir fui

INFINITIF

Présent	*Passé*
Fuyant	Fui, ie ayant fui

VERBE **OUIR**

INDICATIF		CONDITIONNEL	SUBJONCTIF
Présent	***Passé composé***	***Présent***	***Présent***
J' ois *tu ois* *il oit* *nous oyons* *vous oyez* *ils oient*	j' ai ouï	*j' orrais* *j' oirais* *j' ouïrais*	*Que j' oie* *que tu oies* *qu'il oie* *que n. oyions* *que v. oyiez* *qu'ils oient*
		Passé 1re forme	
		J' aurais oui	
Imparfait	***Plus-que-parfait***		***Imparfait***
J' oyais	J' avais ouï	**IMPÉRATIF**	Que j' ouisse
Passé simple	***Passé antérieur***	***Présent***	***Passé***
J' ouïs	j' eus ouï	Ois oyons oyez	Que j' aie ouï
Futur simple	***Futur antérieur***		***Plus-que-parfait***
J' orrai *j' oirai* *j' ouïrai*	j' aurai ouï		Que j' eusse ouï

INFINITIF		PARTICIPE	
Présent	***Passé***	***Présent***	***Passé***
Ouir	Avoir ouï	Oyant	Ouï, ie ayant oui

Le verbe **ouïr** a peu à peu cédé la place à **entendre**. Il n'est plus guère employé qu'à l'infinitif et dans l'expression «*par ouï-dire*».

La conjugaison archaïque est donnée ci-dessus en italique, excepté pour les formes qui se sont maintenues le plus longtemps. A noter le futur *j'ouïrai,* régularisé d'aprés **finir.**

VERBE **GÉSIR**

Ce verbe, qui signifie: *être couché,* n'est plus d'usage qu'aux formes ci-après:

INDICATIF		PARTICIPE
Présent	***Imparfait***	***Présent***
Je gis tu gis il gît nous gisons vous gisez ils gisent	Je gisais tu gisais il gisait nous gisions vous gisiez ils gisaient	Gisant

On n'emploie guère le verbe **gésir** qu'en parlant des personnes malades ou mortes, et de choses renversées par le temps ou la destruction: *Nous* **gisions** *tous les deux sur le pavé d'un cachot, malades et privés de secours.* Son *cadavre* **gît** maintenant *dans le tombeau. Des colonnes* **gisant** *éparses* (Académie)

VERBES EN -OURIR: COURIR

INDICATIF		CONDITIONNEL	SUBJONCTIF
Présent	***Passé composé***	***Présent***	***Présent***
Je cours	J' ai couru	Je courrais	Que je coure
tu cours	tu as couru	tu courrais	que tu coures
il court	il a couru	il courrait	qu'il coure
nous courons	nous avons couru	nous courrions	que n. courions
vous courez	vous avez couru	vous courriez	que v. couriez
ils courent	ils ont couru	ils courraient	qu'ils courent
Imparfait	***Plus-que-parfait***	***Passé 1re forme***	***Imparfait***
Je courais	J' avais couru	J' aurais couru	Que je courusse
tu courais	tu avais couru	tu aurais couru	que tu courusses
il courait	il avait couru	il aurait couru, etc.	qu'il courût
nous courions	nous avions couru		que n. courussions
vous couriez	vous aviez couru	***Passé 2e forme***	que v. courussiez
ils couraient	ils avaient couru	J' eusse couru	qu'ils courussent
		tu eusses couru	
		il eût couru, etc.	
Passé simple	***Passé antérieur***	**IMPÉRATIF**	***Passé***
Je courus	J' eus couru	***Présent***	Que j' aie couru
tu courus	tu eus couru	Cours	que tu aies couru
il courut	il eut couru	courons	qu'il ait couru
nous courûmes	nous eûmes couru	courez	que n. ayons couru
vous courûtes	vous eûtes couru		que v. ayez couru
ils coururent	ils eurent couru		qu'ils aient couru
Futur simple	***Futur antérieur***	***Passé***	***Plus-que-parfait***
Je courrai	J' aurai couru	Aie couru	Que j' eusse couru
tu courras	tu auras couru	ayons couru	que tu eussse couru
il courra	il aura couru	ayez couru	qu'il eût couru
nous courrons	nous aurons couru		que n. eussions couru
vous courrez	vous aurez couru		que v. eussiez couru
ils courront	ils auront couru		qu'ils eussent couru

INFINITIF		PARTICIPE	
Présent	***Passé***	***Présent***	***Passé***
Courir	Avoir couru	Courant	Couru, ue
			ayant couru

Nota: — Remarquer les deux **r** du future et du conditionnel **présent:** *Je courrai, je courrais.*

VERBE **MOURIR**

INDICATIF

Présent

Je	meurs
tu	meurs
il	meurt
nous	mourons
vous	mourez
ils	meurent

Passé composé

Je	suis	mort
tu	es	mort
il	est	mort
nous	sommes	morts
vous	êtes	morts
ils	sont	morts

Imparfait

Je	mourais
tu	mourais
il	mourait
nous	mourions
vous	mouriez
ils	mouraient

Plus-que-parfait

J'	étais	mort
tu	étais	mort
il	était	mort
nous	étions	morts
vous	étiez	morts
ils	étaient	morts

Passé simple

Je	mourus
tu	mourus
il	mourut
nous	mourûmes
vous	mourûtes
ils	moururent

Passé antérieur

je	fus	mort
tu	fus	mort
il	fut	mort
nous	fûmes	morts
vous	fûtes	morts
ils	furent	morts

Futur simple

Je	mourrai
tu	mourras
il	mourra
nous	mourrons
vous	mourrez
ils	mourront

Futur antérieur

Je	serai	mort
tu	seras	mort
il	sera	mort
nous	serons	morts
vous	serez	morts
ils	seront	morts

CONDITIONNEL

Présent

Je	mourrais
tu	mourrais
il	mourrait
nous	mourrions
vous	mourriez
ils	mourraient

Passé 1re forme

je serais mort
tu serais mort
il serait mort, etc.

Passé 2e forme

Je fusse mort
tu fusses mort
il fût mort, etc.

IMPÉRATIF

Présent

Meurs
mourons
mourez

Passé

Sois mort
soyons morts
soyez morts

SUBJONCTIF

Présent

Que je	meure
que tu	meures
qu'il	meure
que n.	mourions
que v.	mouriez
qu'ils	meurent

Imparfait

Que je	mourusse
que tu	mourusses
qu'il	mourût
que n.	mourussions
que v.	mourussiez
qu'ils	mourussent

Passé

Que je	sois	mort
que tu	sois	mort
qu'ils	soit	mort
que n.	soyons	morts
que v.	soyez	morts
qu'ils	soient	morts

Plus-que-parfait

Que je	fusse	mort
que tu	fusses	mort
qu'il	fût	mort
que n.	fussions	morts
que v.	fussiez	morts
qu'ils	fussent	morts

INFINITIF

Présent	*Passé*
Mourir	Être mort

PARTICIPE

Présent	*Passé*
Mourant	Mort, te étant mort

Nota: — Cest le seul verbe de cette terminaison. Remarquer le redoublement de l'r au futur et au conditionnel présent: *je mourrai, je mou***rrais,** et l'emploi de l'auxiliaire **être** dans les temps composés.

VERBES EN -VRIR OU -FRIR: SOUFFRIR

INDICATIF

Présent		*Passé composé*	
Je	souffr e	J' ai	souffert
tu	souffr es	tu as	souffert
il	souffr e	il a	souffert
nous	souffr ons	nous avons	souffert
vous	souffr ez	vous avez	souffert
ils	souffr ent	ils ont	souffert

Imparfait		*Plus-que-parfait*	
Je	souffr ais	J' avais	souffert
tu	souffr ais	tu avais	souffert
il	souffr ait	il avait	souffert
nous	souffr ions	nous avions	souffert
vous	souffr iez	vous aviez	souffert
ils	souffr aient	ils avaient	souffert

Passé simple		*Passé antérieur*	
Je	souffr is	J' eus	souffert
tu	souffr is	tu eut	souffert
il	souffr it	il eut	souffert
nous	souffr îmes	nous eûmes	souffert
vous	souffr îtes	vous eûtes	souffert
ils	souffr irent	ils eurent	souffert

Futur simple		*Futur antérieur*	
Je	souffr irai	j' aurai	souffert
tu	souffr iras	tu auras	souffert
il	souffr ira	il aura	souffert
nous	souffr irons	nous aurons	souffert
vous	souffr irez	vous aurez	souffert
ils	souffr iront	ils auront	souffert

CONDITIONNEL

Présent	
Je	souffr irais
tu	souffr irais
il	souffr irait
nous	souffr irions
vous	souffr iriez
ils	souffr iraient

Passé (1re forme)

j' aurais souffert
tu aurais souffert
il aurait souffert, etc.

Passé (2e forme)

J' eusse souffert
tu eusses souffert
il eût souffert, etc.

IMPÉRATIF

Présent

Souffr e
souffr ons
souffrez

Passé

Aie souffert
ayons souffert
ayez souffert

SUBJONCTIF

Présent	
Que je	souffr e
que tu	souffr es
qu'il	souffr e
que n.	souffr ions
que v.	souffr iez
qu'ils	souffr ent

Imparfait	
Que je	souffr isse
que tu	souffr isses
qu'il	souffr ît
que n.	souffr issions
que v.	souffr issiez
qu'ils	souffr issent

Passé		
Que j'	aie	souffert
que tu	aies	souffert
qu'il	ait	souffert
que n.	ayons	souffert
que v.	ayez	souffert
qu'ils	aient	souffert

Plus-que-parfait		
Que j'	eusse	souffert
que tu	eusses	souffert
qu'il	eût	souffert
q. n.	eussions	souffert
q. v.	eussiez	souffert
qu'ils	eussent	souffert

INFINITIF

Présent	*Passé*
Souffrir	Avoir souffert

INFINITIF

Présent	*Passé*
Souffrant	Souff ert, te ayant souffert

VERBES EN -EVOIR: **RECEVOIR**

INDICATIF

Présent		*Passé composé*		
Je	reç ois	J'	ai	reçu
tu	reç ois	tu	as	reçu
il	reç oit	il	a	reçu
nous	rec evons	nous	avons	reçu
vous	rec evez	vous	avez	reçu
ils	reç oivent	ils	ont	reçu

Imparfait		*Plus-que-parfait*		
Je	rec evais	J'	avais	reçu
tu	rec evais	tu	avais	reçu
il	rec evait	il	avait	reçu
nous	rec evions	nous	avions	reçu
vous	rec eviez	vous	aviez	reçu
ils	rec evaient	ils	avaient	reçu

Passé simple		*Passé antérieur*		
Je	reç us	J'	eus	reçu
tu	reç us	tu	eus	reçu
il	reç ut	il	eut	reçu
nous	reç ûmes	nous	eûmes	reçu
vous	reç ûtes	vous	eûtes	reçu
ils	reç urent	ils	eurent	reçu

Futur simple		*Futur antérieur*		
Je	rec evrai	J'	aurai	reçu
tu	rec evras	tu	auras	reçu
il	rec evra	il	aura	reçu
nous	rec evrons	nous	aurons	reçu
vous	rec evrez	vous	aurez	reçu
ils	rec evront	ils	auront	reçu

CONDITIONNEL

Présent

Je	rec evrais
tu	rec evrais
il	rec evrait
nous	rec evrions
vous	rec evriez
ils	rec evraient

Passe 1re forme

J' aurais reçu
tu aurais reçu
il aurait reçu, etc.

Passé 2e forme

J' eusse reçu
tu eusses reçu
il eût reçu, etc.

IMPÉRATIF

Présent

Reç ois
rec evons

Passé

Aie reçu
ayons reçu
ayez reçu

SUBJONCTIF

Présent		*Imparfait*	
Que je	reç oive	Que je	reç usse
que tu	reç oives	que tu	reç usses
qu'il	reç oive	qu'il	reç ût
que n.	rec evions	que n.	reç ussions
que v.	rec eviez	que v.	reç ussiez
qu'ils	reç oivent	qu'ils	reç ussent

Passé			*Plus que parfait*		
Que j'	aie	reçu	Que j'	eusse	reçu
que tu	aies	reçu	que tu	eusses	reçu
qu'il	ait	reçu	qu'il	eût	reçu
que n.	ayons	reçu	que n.	eussions	reçu
que v.	ayez	reçu	que v.	eussiez	reçu
qu'ils	aient	reçu	qu'ils	eussent	reçu

INFINITIF

Présent	*Passé*
Rec evoir	Avoir reçu

PARTICIPE

Présent	*Passé*
Rec evant	Reç u, ue ayant reçu

Remarque. — La cédille est placée sous le **c** chaque fois qu'il **précède un o** ou un **u**.

VERBE **VOIR**

INDICATIF

Présent

Je vois
tu vois
il voit
nous voyons
vous voyez
ils voient

Passé composé

J' ai vu
tu as vu
il a vu
nous avons vu
vous avez vu
ils ont vu

Imparfait

Je voyais
tu voyais
il voyait
nous voyions
vous voyiez
ils voyaient

Plus-que-parfait

J' avais vu
tu avais vu
il avait vu
nous avions vu
vous aviez vu
ils avaient vu

Passé simple

Je vis
tu vis
il vit
nous vîmes
vous vîtes
ils virent

Passé antérieur

J' eus vu
tu eus vu
il eut vu
nous eûmes vu
vous eûtes vu
ils eussent vu

Futur simple

je verrai
tu verras
il verra
nous verrons
vous verrez
ils verront

Futur antérieur

J' aurai vu
tu auras vu
il aura vu
nous aurons vu
vous aurez vu
ils auront vu

CONDITIONNEL

Présent

Je verrais
tu verrais
il verrait
vous verrions
nous verriez
ils verraient

Passé 1re forme

J' aurais vu
tu aurais vu
il aurait vu, etc.

Passé 2e forme

J' eusse vu
tu eusses vu
il eût vu, etc

IMPÉRATIF

Présent

Vois
voyons

Passé

Aie vu
ayons vu
ayez vu

SUBJONCTIF

Présent

Que je voie
que tu voies
qu'il voie
que n. voyions
que v. voyiez
qu'ils voient

Imparfait

Que je visse
que tu visses
qu'il vît
que n. vissions
que v. vissiez
qu'ils vissent

Passé

Que j' aie vu
que tu aies vu
qu'il ait vu
que n. ayons vu
que v. ayez vu
qu'ils aient vu

Plus-que-parfait

Que j' eusse vu
que tu eusses vu
qu'il eût vu
que n. eussions vu
que v. eussiez vu
qu'ils eussent vu

INFINITIF

Présent: Voir

Passé: Avoir vu

PARTICIPE

Présent: Voyant

Passé: Vu, ue
ayant vu

VERBE **SAVOIR**

INDICATIF

Présent

Je	sais
tu	sais
il	sait
nous	savons
vous	savez
ils	savent

Imparfait

Je	savais
tu	savais
il	savait
nous	savions
vous	saviez
Ils	savaient

Passé simple

Je	sus
tu	sus
il	sut
nous	sûmes
vous	sûtes
ils	surent

Futur simple

Je	saurai
tu	sauras
il	saura
nous	saurons
vous	saurez
ils	sauront

Passé *composé*

J'	ai	su
tu	as	su
il	a	su
nous	avons	su
vous	avez	su
ils	ont	su

Plus-que-parfait

J'	avais	su
tu	avais	su
il	avait	su
nous	avions	su
vous	aviez	su
ils	avaient	su

Passé antérieur

J'	eus	su
tu	eus	su
il	eut	su
nous	eûmes	su
vous	eûtes	su
ils	eussent	su

Futur antérieur

J'	aurai	su
tu	auras	su
il	aura	su
nous	aurons	su
vous	aurez	su
ils	auront	su

CONDITIONNEL

Présent

Je	saurais
tu	saurais
il	saurait
nous	saurions
vous	sauriez
ils	sauraient

Passé 1re forme

j' aurais su
tu aurais su
il aurait su, etc.

Passé 2e forme

J' eusse su
tu eusses su
il eût su, etc.

IMPÉRATIF

Présent

Sache
sachons
sachez

Passé

Aie su
ayons su
ayez su

SUBJONCTIF

Présent

Que je	sache
que tu	saches
qu'il	sache
que n.	sachions
que v.	sachiez
qu'ils	sachent

Imparfait

Que je	susse
que tu	susses
qu'il	sût
que n.	sussions
que v.	sussiez
qu'ils	sussent

Passé

Que j'	aie	su
que tu	aies	su
qu'il	ait	su
que n.	ayons	su
que v.	ayez	su
qu'ils	aient	su

Plus-que-parfait

Que j'	eusse	su
que tu	eusses	su
qu'il	eût	su
que n.	eussions	su
que v.	eussiez	su
qu'ils	eussent	su

INFINITIF

Présent	*Passé*
Savoir	Avoir su

PARTICIPE

Présent	*Passé*
Sachant	Su, ue Ayant su

VERBE **POUVOIR**

INDICATIF

Présent		*Passé composé*		
Je	peux	J'	ai	pu
ou je	puis	tu	as	pu
tu	peux	il	a	pu
il	peut	nous	avons	pu
nous	pouvons	vous	avez	pu
vous	pouvez	ils	ont	pu
ils	peuvent			
Imparfait		***Plus-que-parfait***		
Je	pouvais	J'	avais	pu
tu	pouvais	tu	avais	pu
il	pouvait	il	avait	pu
nous	pouvions	nous	avions	pu
vous	pouviez	vous	aviez	pu
ils	pouvaient	ils	avaient	pu
Passé simple		***Passé antérieur***		
Je	pus	J'	eus	pu
tu	pus	tu	eus	pu
il	put	il	eut	pu
nous	pûmes	nous	eûmes	pu
vous	pûtes	vous	eûtes	pu
ils	purent	ils	eurent	pu
Futur simple		***Futur antérieur***		
Je	pourrai	J'	aurai	pu
tu	pourras	tu	auras	pu
il	pourra	il	aura	pu
nous	pourrons	nous	aurons	pu
vous	pourrez	vous	aurez	pu
ils	pourront	ils	auront	pu

CONDITIONNEL

Présent	
Je	pourrais
tu	pourrais
il	pourrait
nous	pourrions
vous	pourriez
ils	pourraient
Passé 1re forme	
J' aurais	pu
tu aurais	pu
il aurait	pu, etc.
Passé 2e forme	
J' eusse	pu
tu eusses	pu
il eût	pu, etc.

PAS D'IMPÉRATIF

SUBJONCTIF

Présent		
Que je	puisse	
que tu	puisses	
qu'il	puisse	
que n.	puissions	
que v.	puissiez	
qu'ils	puissent	
Imparfait		
Que je	pusse	
que tu	pusses	
qu'il	pût	
que n.	pussions	
que v.	pussiez	
qu'ils	pussent	
Passé		
Que j'	aie	pu
que tu	aies	pu
qu'il	ait	pu
que n.	ayons	pu
que v.	ayez	pu
qu'ils	aient	pu
Plus-que-parfait		
Que j'	eusse	pu
que tu	eusses	pu
qu'il	eût	pu
que n.	eussions	pu
que v.	eussiez	pu
qu'ils	eussent	pu

INFINITIF

Présent	*Passé*
Pouvoir	Avoir pu

PARTICIPE

Présent	*Passé*
Pouvant	Pu ayant pu

Remarque. — Le verbe **pouvoir** prend deux r au futur et au présent du conditionnel, mais, à la différence de **mourir** et **courir,** on n'en prononce qu'un.

Je puis semble d'un emploi plus distingué que je *peux*. On ne dit pas: *peux-je*, mais *puis-je*. *Il se peut que* se dit pour *il peut* se *faire que* au sens de *il peut arriver que, il est possible que*. Il se construit alors normalement avec le subjonctif.

VERBE **POURVOIR**

INDICATIF

Présent

Je	pourvois
tu	pourvois
il	pourvoit
nous	pourvoyons
vous	pourvoyez
ils	pourvoient

Passé composé

J'	ai	pourvu
tu	as	pourvu
il	a	pourvu
nous	avons	pourvu
vous	avez	pourvu
ils	ont	pourvu

Imparfait

Je	pourvoyais
tu	pourvoyais
il	pourvoyait
nous	pouvoyions
vous	pourvoyiez
ils	pourvoyaient

Plus-que parfait

J'	avais	pourvu
tu	avais	pourvu
il	avait	pourvu
nous	avions	pourvu
vous	aviez	pourvu
ils	avaient	pourvu

Passé simple

Je	pourvus
tu	pourvus
il	pourvut
nous	pourvûmes
vous	pourvûtes
ils	pourvurent

Passé antérieur

J'	eus	pourvu
tu	eus	pourvu
il	eut	pourvu
nous	eûmes	pourvu
vous	eûtes	pourvu
ils	eurent	pourvu

Futur simple

Je	pourvoirai
tu	pourvoiras
il	pourvoira
nous	pourvoirons
vous	pourvoirez
ils	pourvoiront

Futur antérieur

J'	aurai	pourvu
tu	auras	pourvu
il	aura	pourvu
nous	aurons	pourvu
vous	aurez	pourvu
ils	auront	pourvu

CONDITIONNEL

Présent

Je	pourvoirais
tu	pourvoirais
il	pourvirait
nous	pourvoirions
vous	pourvoiriez
ils	pourvoiraient

Passé 1re forme

J' aurais pourvu
tu aurais pourvu
il aurait pourvu, etc.

Passé 2e forme

J' eusse porvu
tu eusses porvu
il eût pourvu, etc.

IMPÉRATIF

Présent

Pourvois
pourvoyons
pourvoyez

Passé

Aie	pourvu
ayons	pourvu
ayez	pourvu

SUBJONCTIF

Présent

Que je	pourvoie
que tu	pourvoies
qu'il	pourvoie
que n.	pourvoyions
que v.	pourvoyiez
qu'ils	pourvoient

Imparfait

Que je	pourvusse
que tu	pourvusses
qu'il	pourvût
que n.	pourvussions
que v.	pourvussiez
qu'ils	pourvussent

Passé

Que j'	aie	pourvu
que tu	aies	pourvu
qu'il	ait	pourvu
que n.	ayons	pourvu
que v.	ayez	pourvu
qu'ils	aient	pourvu

Plus-que-parfait

Que j'	eusse	pourvu
que tu	eusses	pourvu
qu'il	eût	pourvu
que n.	eussions	pourvu
que v.	eussiez	pourvu
qu'ils	eussent	pourvu

INFINITIF

Présent	*Passé*
Pourvoir	Avoir pourvu

PARTICIPE

Présent	*Passé*
Pourvoyant	Pourvu, ue
	Ayant pourvu

VERBE DEVOIR

INFINITIF

Présent

Je	dois
tu	dois
il	doit
nous	devons
vous	devez
ils	doivent

Imparfait

Je	devais
tu	devais
il	devait
nous	devions
vous	deviez
ils	devaient

Passé simple

je	dus
tu	dus
il	dut
nous	dûmes
vous	dùtes
ils	durent

Futur simple

je	devrai
tu	devras
il	devra
nous	devrons
vous	devrez
ils	devront

Passé composé

J'	ai	dû
tu	as	dû
il	a	dû
nous	avons	dû
vous	avez	dû
ils	ont	dû

Plus-que-parfait

J'	avais	dû
tu	avais	dû
il	avait	dû
nous	avions	dû
vous	aviez	dû
ils	avaient	dû

Passé antérieur

J'	eus	dû
tu	eus	dû
il	eût	dû
nous	eûmes	dû
vous	eûtes	dû
ils	eurent	dû

Futur antérieur

J'	aurai	dû
tu	auras	dû
il	aura	dû
nous	aurons	dû
vous	aurez	dû
ils	auront	dû

CONDITIONNEL

Présent

Je	devrais
tu	devrais
il	devrait
nous	devrions
vous	devriez
ils	devraient

Passé 1re forme

J' aurais	dû
tu aurais	dû
il aurait	dû, etc.

Passé 2e forme

J' eusse	dû
tu eusses	dû
il eût	dû, etc.

IMPÉRATIF

Présent

Dois
devons
devez

Passé

Aie dû
ayons dû
ayez dû

SUBJONCTIF

Présent

Que je	doive
que tu	doives
qu'il	doive
que n.	devions
que v.	deviez
qu'ils	doivent

Imparfait

Que je	dusse
que tu	dusses
qu'il	dût
que n.	dussions
que v.	dussiez
qu'ils	dussent

Passé

Que j'	aie	dû
que tu	aies	dû
qu'ils	ait	dû
que n.	ayons	dû
que v.	ayez	dû
qu'ils	aient	dû

Plus-que-parfait

Que j'	eusse	dû
que tu	eusses	dû
qu'il	eût	dû
que n.	eussions	dû
que v.	eussiez	dû
qu'ils	eussent	dû

INFINITIF

Présent	Passé
Devoir	Avoir dû

PARTICIPE

Présent	Passé
Devant	Dû, ue
	Ayant dû

Remarque. — Devoir et **redevoir,** qui se conjugue comme **devoir,** prennent un accent circonflexe au participe passé *masculin singulier* seulement: *Dû, redû.* Mais on écrit sans accent: *due, dus, dues; redue, redus, redues.*

VERBE **MOUVOIR**

INFINITIF

Présent

Je	meus
tu	meus
il	meut
nous	mouvons
vous	mouvez
ils	meuvent

Passé composé

J'	ai	mû
tu	as	mû
il	a	mû
nous	avons	mû
vous	avez	mû
ils	ont	mû

Imparfait

Je	mouvais
tu	mouvais
il	mouvait
nous	mouvions
vous	mouviez
ils	mouvaient

Plus-que-parfait

J'	avais	mû
tu	avais	mû
il	avait	mû
nous	avions	mû
vous	aviez	mû
ils	avaient	mû

Passé simple

Je	mus
tu	mus
il	mut
nous	mûmes
vous	mûtes
ils	murent

Passé antérieur

J'	eus	mû
tu	eus	mû
il	eut	mû
nous	eûmes	mû
vous	eûtes	mû
ils	eurent	mû

Futur simple

Je	mouvrai
tu	mouvras
il	mouvra
nous	mouvrons
vous	mouvrez
ils	mouvront

Futur antérieur

J'	aurai	mû
tu	auras	mû
il	aura	mû
nous	aurons	mû
vous	aurez	mû
ils	auront	mû

CONDITIONNEL

Présent

Je	mouvrais
tu	mouvrais
il	mouvrait
nous	mouvrions
vous	mouvriez
ils	mouvraient

Passé 1re forme

J' aurais mû
tu aurais mû
il aurait mu, etc

Passé 2e forme

J' eusse mû
tu eusses mû
il eût mû, etc.

IMPÉRATIF

Présent

Meus
mouvons
mouvez

Passé

Aie mû
ayons mû
ayez mû

SUBJONCTIF

Présent

Que je	meuve
que tu	meuves
qu'il	meuve
que n.	mouvions
que v.	mouviez
qu'ils	meuvent

Imparfait

Que je	musse
que tu	musses
qu'il	mût
que n.	mussions
que v.	mussiez
qu'ils	mussent

Passé

Que j'	aie	mû
que tu	aies	mû
qu'il	ait	mû
que n.	ayons	mû
que v.	ayez	mû
qu'ils	aient	mû

Plus-que-parfait

Que j'	eusse	mû
que tu	eusses	mû
qu'il	eût	mû
que n.	eussions	mû
que v.	eussiez	mû
qu'ils	eussent	mû

INFINITIF

Présent	*Passé*
Mouvoir	Avoir mû

PARTICIPE

Présent	*Passé*
Mouvant	Mû, ue[1] ayant mû

1. Le participe passé prend un accent circonflexe sur l'u au masculin singulier seulement: *mu*. Mais on écrit: *mue, mus, mues*. Le participe passé d'**émouvoir** et de **promouvoir** ne prend jamais d'accent circonflexe: *ému, promu*.

VERBE IMPERSONNEL **PLEUVOIR**

INDICATIF		CONDITIONNEL	SUBJONCTIF
Présent	***Passé composé***	***Présent***	***Présent***
Il pleut	Il a plu	Il pleuvrait	Qu'il pleuve
Imparfait	***Plus-que-parfait***	***Passé 1re forme***	***Imparfait***
Il pleuvait	Il avait plu	Il aurait plu	Qu'il plût
Passé simple	***Passé antériur***	***Passé 2e forme***	***Passé***
Il plut	Il eut plu	Il eût plu	Qu'il ait plu
Futur simple	***Futur antérieur***	**PAS D'IMPÉRATIF**	***Plus-que-parfait***
Il pleuvra	Il aura plu		Qu'il eût plu

INFINITIF		PARTICIPE	
Présent	***Passé***	***Présent***	***Passé***
Pleuvoir	Avoir plu	Pleuvant	Plu ayant plu

Nota. — Quoique impersonnel, ce verbe s'emploie au pluriel, mais dans le sens figure: **Les coups de fusil** *pleuvent*, **les sarcasmes** *pleuvent* **sur lui, les honneurs** *pleuvaient* sur lui.

VERBE IMPERSONNEL **FALLOIR**

INDICATIF		CONDITIONNEL	SUBJONCTIF
Présent	***Passé composé***	***Présent***	***Présent***
Il faut	Il a fallu	Il faudrait	Qu'il faille
Imparfait	***Plus-que-parfait***	***Passé 1re forme***	***Imparfait***
Il fallait	Il avait fallu	Il aurait fallu	Qu'il fallût
Passé simple	***Passé antérieur***	***Passé 2e forme***	***Passé***
Il fallut	Il eut fallu	Il eût fallu	Qu'il ait fallu
Futur simple	***Futur antérieur***	**PAS D'IMPÉRATIF**	***Plus-que-parfait***
Il faudra	Il aura fallu		Qu'il eût fallu

INFINITIF	PARTICIPE ***Passé***
Falloir	Fallu

VERBE **VALOIR**

INDICATIF

Présent

Je	vaux
tu	vaux
il	vaut
nous	valons
vous	valez
ils	valent

Imparfait

Je	valais
tu	valais
il	valait
nous	valions
vous	valiez
ils	valaient

Passé simple

Je	valus
tu	valus
il	valut
nous	valûmes
vous	valûtes
ils	valurent

Futur simple

Je	vaudrai
tu	vaudras
il	vaudra
nous	vaudrons
vous	vaudrez
ils	vaudront

Passé composé

J'	ai	valu
tu	as	valu
il	a	valu
nous	avons	valu
vous	avez	valu
ils	ont	valu

Plus-que-parfait

J'	avais	valu
tu	avais	valu
il	avait	valu
nous	avions	valu
vous	aviez	valu
ils	avaient	valu

Passé antérieur

J'	eus	valu
tu	eus	valu
il	eut	valu
nous	eûmes	valu
vous	eûtes	valu
ils	eurent	valu

Futur antérieur

J'	aurai	valu
tu	auras	valu
il	aura	valu
nous	aurons	valu
vous	aurez	valu
ils	auront	valu

CONDITIONNEL

Présent

Je	vaudrais
tu	vaudrais
il	vaudrait
nous	vaudrions
vous	vaudriez
ils	vaudraient

Passé 1re forme

J' aurais valu
tu aurais valu
il aurait valu, etc.

Passé 2e forme

J' eusse valu
tu eusses valu
il eût valu, etc.

IMPÉRATIF

Présent

Vaux
valons
valez

Passé

Aie valu
ayons valu
ayez valu

SUBJONCTIF

Présent

Que je	vaille
que tu	vailles
qu'il	vaille
que n.	valions
que v.	valiez
qu'ils	vaillent

Imparfait

Que je	valusse
que tu	valusses
qu'il	valût
que n.	valussions
que v.	valussiez
qu'ils	valussent

Passé

Que j'	aie	valu
que tu	aies	valu
qu'il	ait	valu
que n.	ayons	valu
que v.	ayez	valu
qu'ils	aient	valu

Plus-que-parfait

Que j'	eusse	valu
que tu	eusses	valu
qu'il	eût	valu
que n.	eussions	valu
que v.	eussiez	valu
qu'ils	eussent	valu

INFINITIF

Présent
Valoir

Passé
Avoir valu

PARTICIPE

Présent
Valant

Passé
Valu, ue
ayant valu

VERBE VOULOIR

INDICATIF				CONDITIONNEL		SUBJONCTIF	
Présent		***Passé composé***		***Présent***		***Présent***	
Je	veux	J' ai	voulu	Je	voudrais	Que je	veuille
tu	veux	tu as	voulu	tu	voudrais	que tu	veuilles
il	veut	il a	voulu	il	voudrait	qu'il	veuille
nous	voulons	nous avons	voulu	nous	voudrions	que n.	voulions
vous	voulez	vous avez	voulu	vous	voudriez	que v.	vouliez
ils	veulent	ils ont	voulu	ils	voudraient	qu'ils	veuillent
Imparfait		***Plus-que-parfait***		***Passé 1re forme***		***Imparfait***	
Je	voulais	J' avais	voulu	J' aurais voulu		Que je	voulusse
tu	voulais	tu avais	voulu	tu aurais voulu		que tu	voulusses
il	voulait	il avait	voulu	il aurait voulu, etc.		qu'il	voulût
nous	voulions	nous avions	voulu			que n.	voulussions
vous	vouliez	vous aviez	voulu	***Passé 2e forme***		que v.	voulussiez
ils	voulaient	ils avaient	voulu	J' eusse voulu		qu'ils	voulussent
				tu eusses voulu			
Passé simple		***Passé antérieur***		il eût voulu, etc.		***Passé***	
Je	voulus	J' eus	voulu			Que j' aie	voulu
tu	voulus	tu eus	voulu			que tu aies	voulu
il	voulut	il eut	voulu	**IMPÉRATIF**		qu'il ait	voulu
nous	voulûmes	nous eûmes	voulu			que n. ayons	voulu
vous	voulûtes	vous eûtes	voulu	***Présent***		que v. ayez	voulu
ils	voulurent	ils eurent	voulu	Veux		qu'ils aient	voulu
				voulons			
Futur simple		***Futur antérieur***		voulez		***Plus-que-parfait***	
Je	voudrai	J' aurai	voulu			Que j' eusse	voulu
tu	voudras	tu auras	voulu	***Passé***		que tu eusses	voulu
il	voudra	il aura	voulu	Aie voulu		qu'il eût	voulu
nous	voudrons	nous aurons	voulu	ayons voulu		que n. eussions	voulu
vous	voudrez	vous aurez	voulu	ayez voulu		que v. eussiez	voulu
ils	voudront	ils auront	voulu			qu'ils eussent	voulu

INFINITIF		PARTICIPE	
Présent	***Passé***	***Présent***	***Passé***
Vouloir	Avoir voulu	Voulant	Voulu, ue
			ayant voulu

Remarque. — L'impératif: *veux, voulons, voulez,* n'est d'usage que dans certaines occasions très rares où l'on engage à s'armer d'une ferme volonté: **Veux** *donc, malheureux, et tu le sauveras. Pour apprendre, il ne faut que vouloir:* **voulons** *donc, et nous parviendrons à nous instruire.* L'abbé de Lamennais a dit dans l'*Imitation de Jésus-Christ: Faites un effort,* **voulez** *seulement: celui qui donne le bon vouloir, vous donnera aussi de l'accomplir.* **Ce verbe** s'emploie souvent, par civilité, à la seconde personne du pluriel du subjonctif: *veuillez,* qui signifie: *ayez la bonté, la complaisance de...* **Veuliez** *permettre que je* me *retire.* On dit au singulier: **Veuille: veuille** *bien, je te prie, me rendre ce service.* Mais avec le pronom en, qui donne au verbe *vouloir* une signification particulière, on trouve de plus en plus: *Ne men* **veux** *pas, ne lui en* **voulons** *pas, ne leur en* **voulez** *pas.*

VERBE **ASSEOIR**

INDICATIF

Présent

J' ass ois
tu ass ois
il ass oit
nous ass oyons
vous ass oyez
ils ass oient

ou

J' assieds
tu assieds
il assied
nous asseyons
vous asseyez
ils asseyent

Imparfait

J' ass oyais
tu ass oyais
il ass oyait
nous ass oyions
vous ass oyiez
ils ass oyaient

ou

J' asseyais
tu asseyais
il asseyait
nous asseyions
vous assyiez
ils asseyaient

Passé simple

J' ass is
tu ass is
il ass it
nous ass îmes
vous ass îtes
ils ass irent

Futur simple

J' ass oirai
tu ass oirais
il ass oira
nous ass oirons
vous ass oirez
ils ass oiront

ou

J' assierai
tu assiéras
il assiéra
nous assiérons
vous assiérez
ils assiéront

Passé composé

j' ai assis
tu as assis
il a assis
nous avons assis
vous avez assis
ils ont assis

Plus-que-parfait

j' avais assis
tu avais assis
il avait assis
nous avions assis
vous aviez assis
ils avaient assis

Passé antérieur

j' eus assis
tu eus assis
il eut assis
nous eûmes assis
vous eûtes assis
ils eurent assis

Futur antérieur

j' aurai assis
tu auras assis
il aura assis
nous aurons assis
vous aurez assis
ils auront assis

CONDITIONNEL

Présent

J' ass oirais
tu ass oirais
il ass oirait
nous ass oirions
vous ass oiriez
ils ass oiraient

ou

J' assiérais
tu assiérais
il assiérait
nous assiérions
vous assiériez
ils assiéraient

Passé 1re forrne

J' aurais assis
tu aurais assis
il aurait assis, etc.

Passé 2e forme

J' eusse assis
tu eusses assis
il eût assis, etc.

IMPÉRATIF

Présent

Ass ois
ass oyons
ass oyez

ou

Assieds
Asseyons
Asseyez

Passé

Aie assis
ayons assis
ayez assis

SUBJONCTIF

Présent

Que j' ass oie
que tu ass oies
qu'il ass oie
que n. ass oyions
que v. ass oyiez
qu'ils ass oient

ou

Que j' asseye
que tu asseyes
qu'il asseye
que n. asseyions
que v. asseyiez
qu'ils asseyent

Imparfait

Que j' ass isse
que tu ass isses
qu'il ass ît
que n. ass issions
que v. ass issiez
qu'ils ass issent

Passé

Que j' aie assis
que tu aies assis
qu'il ait assis
que n. ayons assis
que v. ayez assis
qu'ils aient assis

Plus-que-parfait

Que j' eusse assis
que tu eusses assis
qu'il eût assis
que n. eussions assis
que v. eussiez assis
qu'ils eussent assis

VERBE **ASSEOIR** (suite)

INFINITIF		PARTICIPE	
Présent	***Passé***	***Présent***	***Passé***
Ass eoir	Avoir assis	Ass eyant ou Ass oyant	Assis, ise ayant assis

Remarque. — ce verbe se conjugue surtout à la forme pronominale: **s' asseoir.** Aux temps composés il prend régulièrement l'auxiliaire **être**: *Je me suis assis, je m'étais assis...*
Les formes *j' asseyerai, tu asseyeras, etc.; j' asseyerais, tu asseyerais, etc.* sont actuellement sorties d l'usage
L' infinitif *asseoir* s'orthographie avec un **e** étymologique, à la différence de l'Indicatif présent: **j' assois** et futur: **j' assoirai** qui s'écrivent normalement sans **e**.

VERBE **SEOIR:** CONVENIR

INDICATIF		CONDITIONNEL	SUBJONCTIF
Présent	***Futur***	***Présent***	***Présent***
Il sied Ils siéent	Il siéra Ils siéront	Il siérait Ils siéraient	Qu'il siée Qu'ils siéent
Imparfait	**INFINITIF**	**PARTICIPE**	
	Présent	***Présent***	
Il seyait Ils seyaient	Seoir	Séant, seyant	Rem. Ce verbe n'a pas de temps composés.

Le verbe SEOIR dans le sens d'**être assis, prendre séance,** n'existe qu'aux formes suivantes:
PARTICIPE présent: *séant* (employé parfois comme nom: cf. «*sur son séant*»).
PARTICIPE passé: *Sis, sise* qui ne s'emploie plus guère qu'adjectivement en style de barreau au lieu de *situé, située: Hotel sis à Paris.*

VERBE **MESSEOIR:** N'ÊTRE PAS CONVENABLE

INDICATIF		CONDITIONNEL	SUBJONCTIF
Présent	***Futur***	***Présent***	***Présent***
Il messied ils messiéent	Il messiéra ils messiéront	Il messiérait Ils messiéraient	Qu'il messiée Qu'ils messiéent
Imparfait	**INFINITIF**	**PARTICIPE**	
	Présent	***Présent***	
Il messeyait ils messeyaient	Messeoir	Messéant	Rem.: Ce verbe n'a pas de temps composés

VERBE **SURSEOIR**

INDICATIF

Présent

Je surs ois
tu surs ois
il surs oit
nous surs oyons
vous surs oyez
ils surs oient

Passé composé

J' ai sursis
tu as sursis
il a sursis
nous avons sursis
vous avez sursis
ils ont sursis

Imparfait

Je surs oyais
tu surs oyais
il surs oyait
nous surs oyions
vous surs oyiez
ils surs oyaient

Plus-que-Parfait

J' avais sursis
tu avais sursis
il avait sursis
nous avions sursis
vous aviez sursis
ils avaient sursis

Passé simple

Je surs is
tu surs is
il surs it
nous surs îmes
vous surs îtes
ils surs irent

Passé antérieur

J' eus sursis
tu eus sursis
il eut sursis
nous eûmes sursis
vous eûtes sursis
ils eurent sursis

Futur simple

Je surs eoirai
tu surs eoiras
il surs eoira
nous surs eoirons
vous surs eoirez
ils surs eoiront

Futur antérieur

J' aurai sursis
tu auras sursis
il aura sursis
nous aurons sursis
vous aurez sursis
ils auront sursis

CONDITIONNEL

Présent

Je surs eoirais
tu surs eoirais
il surs eoirait
nous surs eoirions
vous surs eoiriez
ils surs eoiraient

Passe 1re forme

J' aurais sursis
tu aurais sursis
il aurait sursis, etc.

Passé 2e forme

j' eusse sursis
tu eusses sursis
il eût sursis, etc

IMPÉRATIF

Présent

Surs ois
surs oyons
surs oyez

Passé

Aie sursis
ayons sursis
ayez sursis

SUBJONCTIF

Présent

Que je surs oie
que tu surs oies
qu'il surs oie
que n. surs oyions
que v. surs oyiez
qu'ils surs oient

Imparfait

Que je surs isse
que tu surs isses
qu'il surs ît
que n. surs issions
que v. surs issiez
qu'ils surs issent

Passé

Que j' aie sursis
que tu aies sursis
qu'il ait sursis
que n. ayons sursis
que v. ayez sursis
qu'ils aient sursis

Plus-que-parfait

Que j. eusse sursis
que tu eusses sursis
qu'il eût sursis
que n. eussions sursis
que v. eussiez sursis
qu'ils eussent sursis

INFINITIF

Présent

Surs eoir

Passé

Avoir sursis

PARTICIPE

Présent

Surs oyant

Passé

Surs is, ise
ayant sursis

VERBE **CHOIR** (temps simples)[1]

INDICATIF		CONDITIONNEL	SUBJONCTIF
Présent	***Passé simple***	***Présent***	***Imparfait***
Je chois tu chois il choit ils choient	Je chus etc. ***Futur simple*** Je choirai Je *cherrai* etc.	Je choirais Je cherrais, etc.	Qu'il chût
		INFINITIF	**PARTICIPE**
		Présent Choir	***Passé*** Chu, chue

VERBE **ÉCHOIR** (temps simples)[1]

INDICATIF		CONDITIONNEL	SUBJONCTIF
Présent	***Passé simple***	***Présent***	***Présent***
Il échoit *il échet* ils échoient *ils échéent*	Il échut ils échurent	Il échoirait *il écherrait* ils échoiraient *ils écherraient*	Qu'il échoie *Qu'il échée* ***Imparfait*** Qu'il échut
Imparfait *il échoyait*	***Futur simple*** Il échoira *il écherra* ils échoiront *ils écherront*	**INFINITIF** ***Présent*** échoir	**PARTICIPE** ***Présent:*** échéant ***Passé:*** échu, échue

VERBE **DÉCHOIR** (temps simples)[1]

INDICATIF		CONDITIONNEL	SUBJONCTIF
Présent	***Passé simple***	***Présent***	***Présent***
Je déchois tu déchois il déchoit il *déchet* nous déchoyons vous déchoyez ils déchoient	Je déchus etc. ***Futur simple*** Je déchoirai *je décherrai* etc.	Je déchoirais *Je* décherrais etc.	Que je déchoie que nous déchoyons Qu'ils déchoient ***Imparfait*** Que je déchusse etc.
		INFINITIF ***Présent:*** déchoir	**PARTICIPE** ***Passé:*** déchu

1. Aux temps composés ces verbes se conjuguent **avec** l'auxiliaire **être** ou **avoir:** le premier indique l'**état**, le second exprime l'action. Les formes en italique sont moins fréquentes.

VERBES EN -ENDRE (1er type): **RENDRE**

VERBES EN **-ANDRE, -ERDRE, -OMPRE, ONDRE, -ORDRE**

INDICATIF

Présent		***Passé composé***		
Je	rend s	j'	ai	rendu
tu	rend s	tu	as	rendu
il	rend	il	a	rendu
nous	rend ons	nous	avons	rendu
vous	rend ez	vous	avez	rendu
íls	rend ent	ils	ont	rendu

Imparfait		***Plus-que-Parfait***		
Je	rend ais	j'	avais	rendu
tu	rend ais	tu	avais	rendu
il	rend ait	il	avait	rendu
nous	rend ions	nous	avions	rendu
vous	rend iez	vous	aviez	rendu
ils	rend aient	ils	avaient	rendu

Passé simple		***Passé antérieur***		
Je	rend is	J'	eus	rendu
tu	rend is	tu	eus	rendu
il	rend it	il	eut	rendu
nous	rend îmes	nous	eûmes	rendu
vous	rend îtes	vous	eûtes	rendu
ils	rend irent	ils	eurent	rendu

Futur simple		***Futur antériur***		
Je	rend rai	J'	aurai	rendu
tu	rend ras	tu	auras	rendu
il	rend ra	il	aura	rendu
nous	rend rons	nous	aurons	rendu
vous	rend rez	vous	aurez	rendu
ils	rend ront	ils	auront	rendu

CONDITIONNEL

Présent

je	rend rais
tu	rend rais
il	rend rait
nous	rend rions
vous	rend riez
ils	rend raient

Passé 1re forme

J' aurais rendu
tu aurais rendu
il aurait rendu, etc.

Passé 2e forme

j eusse rendu
tu eusses rendu
il eût rendu, etc.

IMPÉRATIF

Présent

Rend s
rend ons
rend ez

Passé

Aie rendu
ayons rendu
ayez rendu

SUBJONCTIF

Présent

Que je	rend e
que tu	rend es
qu'il	rend e
que n.	rend ions
que v.	rend iez
qu'ils	rend ent

Imparfait

Que je	rend isse
que tu	rend isses
qu'il	rend it
que n.	rend issions
que v.	rend issiez
qu'ils	rend issent

Passé

Que j'	aie	rendu
que tu	aies	rendu
qu'il	ait	rendu
que n.	ayons	rendu
que v.	ayez	rendu
qu'ils	aient	rendu

Plus-que-parfait

Que j'	eusse	rendu
que tu	eusses	rendu
qu'il	eût	rendu
que n.	eussions	rendu
que v.	eussiez	rendu
qu'ils	eussent	rendu

INFINITIF

Présent	***Passé***
Rend re	Avoir rendu

PARTICIPE

	Passé
Rend ant	Rend u, ue ayant rendu

VERBES EN –ENDRE (2e type): PRENDRE

INDICATIF

Présent		*Passé composé*		
Je	pr ends	J'	ai	pris
tu	pr ends	tu	as	pris
il	pr end	il	a	pris
nous	pr enons	nous	avons	pris
vous	pr enez	vous	avez	pris
ils	pr ennent	ils	ont	pris

Imparfait		*Plus-que-parfait*		
Je	pr enais	J'	avais	pris
tu	pr enais	tu	avais	pris
il	pr enait	il	avait	pris
nous	pr enions	nous	avions	pris
vous	pr eniez	vous	aviez	pris
ils	pr enaient	ils	avaient	pris

Passé simple		*Passé antérieur*		
Je	pr is	J'	eus	pris
tu	pr is	tu	eus	pris
il	pr it	il	eut	pris
nous	pr îmes	nous	eûmes	pris
vous	pr îtes	vous	eûtes	pris
ils	pr irent	ils	eurent	pris

Futur simple		*Futur antérieur*		
Je	pr endrai	J'	aurai	pris
tu	pr endras	tu	auras	pris
il	pr endra	il	aura	pris
nous	pr endrons	nous	aurons	pris
vous	pr endrez	vous	aurez	pris
ils	pr endront	ils	auront	pris

CONDITIONNEL

Présent

Je	pr endrais
tu	pr endrais
il	pr endrait
nous	pr endrions
vous	pr endriez
ils	pr endraient

Passé 1re forme

J' aurais pris
tu aurais pris
il aurait pris, etc.

Passé 2e forme

J' eusse pris
tu eusses pris
il eût pris, etc.

SUBJONCTIF

Présent		*Imparfait*	
Que je	pr enne	Que je	pr isse
que tu	pr ennes	que tu	pr isses
qu'il	pr enne	qu'il	pr ît
que n.	pr enions	que n.	pr issions
que v.	pr eniez	que v.	pr issiez
qu'ils	pr ennent	qu'ils	pr issent

Passé			*Plus-que-parfait*		
Que j'	aie	pris	Que j'	eusse	pris
que tu	aies	pris	que tu	eusses	pris
qu'il	ait	pris	qu'il	eût	pris
que n.	ayons	pris	que n.	eussions	pris
que v.	ayez	pris	que v.	eussiez	pris
qu'ils	aient	pris	qu'ils	eussent	pris

IMPÉRATIF

Présent

Pr ends
pr enons
pr enez

Passé

Aie pris
ayons pris
ayez pris

INFINITIF

Présent	*Passé*
Prendre	Avoir pris

PARTICIPE

Présent	*Passé*
Pr enant	Pr is, pr ise ayant pris

VERBES EN –EINDRE: PEINDRE

INDICATIF

Présent		Passé composé		
Je	p eins	J'	ai	peint
tu	p eins	tu	as	peint
il	p eint	il	a	peint
nous	p eignons	nous	avons	peint
vous	p eignez	vous	avez	peint
ils	p eignent	ils	ont	peint

Imparfait		Plus-que-parfait		
Je	p eignais	J'	avais	peint
tu	p eignais	tu	avais	peint
il	p eignait	il	avait	peint
nous	p eignions	nous	avions	peint
vous	p eigniez	vous	aviez	peint
ils	p eignaient	ils	avaient	peint

Passé simple		Passé antérieur		
Je	p eignis	J'	eus	peint
tu	p eignis	tu	eus	peint
il	p eignit	il	eut	peint
nous	p eignîmes	nous	eûmes	peint
vous	p eignîtes	vous	eûtes	peint
ils	p eignirent	ils	eurent	peint

Futur simple		Futur antérieur		
Je	p eindrai	J'	aurai	peint
tu	p eindras	tu	auras	peint
il	p eindra	il	aura	peint
nous	p eindrons	nous	aurons	peint
vous	p eindrez	vous	aurez	peint
ils	p eindront	ils	auront	peint

CONDITIONNEL

Présent	
Je	p eindrais
tu	p eindrais
il	p eindrait
nous	p eindrions
vous	p eindriez
ils	p eindraient

Passé 1re forme

J' aurais peint
tu aurais peint
il aurait peint, etc.

Passé 2e forme

J' eusse peint
tu eusses peint
il eût peint, etc.

SUBJONCTIF

Présent	
Que je	p eigne
que tu	p eignes
qu'il	p eigne
que n.	p eignions
que v.	p eigniez
qu'ils	p eignent

Imparfait	
Que je	p eignisse
que tu	p eignisses
qu'il	p eignît
que n.	p eignissions
que v.	p eignissiez
qu'ils	p eignissent

Passé		
Que j'	aie	peint
que tu	aies	peint
qu'il	ait	peint
que n.	ayons	peint
que v.	ayez	peint
qu'ils	aient	peint

Plus-que-parfait		
Que j'	eusse	peint
que tu	eusses	peint
qu'il	eût	peint
que n.	eussions	peint
que v.	eussiez	peint
qu'ils	eussent	peint

IMPÉRATIF

Présent

P eins
p eignons
p eignez

Passé

Aie peint
ayons peint
ayez peint

INFINITIF

Présent	Passé
P eindre	Avoir peint

PARTICIPE

Présent	Passé
P eignant	P eint, einte ayant peint

VERBES EN –AINDRE: CRAINDRE

INDICATIF

Présent

Je	cr ains
tu	cr ains
il	cr aint
nous	cr aignons
vous	cr aigniez
ils	cr aignent

Passé composé

J'	ai	craint
tu	as	craint
il	a	craint
nous	avons	craint
vous	avez	craint
ils	ont	craint

Imparfait

Je	cr aignais
tu	cr aignais
il	cr aignait
nous	cr aignions
vous	cr aigniez
ils	cr aignaient

Plus-que-parfait

J'	avais	craint
tu	avais	craint
il	avait	craint
nous	avions	craint
vous	aviez	craint
ils	avaient	craint

Passé simple

Je	cr aignis
tu	cr aignis
il	cr aignit
nous	craignîmes
vous	cr aignîtes
ils	cr aignirent

Passé antérieur

J'	eus	craint
tu	eus	craint
il	eut	craint
nous	eûmes	craint
vous	eûtes	craint
ils	eurent	craint

Futur simple

Je	cr aindrai
tu	cr aindras
il	cr aindra
nous	craindrons
vous	cr aindrez
ils	cr aindront

Futur antérieur

J'	aurai	craint
tu	auras	craint
il	aura	craint
nous	aurons	craint
vous	aurez	craint
ils	auront	craint

CONDITIONNEL

Présent

Je	cr aindrais
tu	cr aindrais
il	cr aindrait
nous	craindrions
vous	cr aindriez
ils	craindraient

Passé 1re forme

J' aurais craint
tu aurais craint
il aurait craint, etc.

Passé 2e forme

J' eusse craint
tu eusses craint
il eût craint, etc.

IMPÉRATIF

Présent

Cr ains
cr aignons
cr aignez

Passé

Aie craint
ayons craint
ayez craint

SUBJONCTIF

Présent

Que je	cr aigne
que tu	cr aignes
qu'il	cr aigne
que n.	cr aignions
que v.	cr aigniez
qu'ils	cr aignent

Imparfait

Que je	cr aignisse
que tu	cr aignisses
qu'il	cr aignît
que n.	cr aignissions
que v.	cr aignissiez
qu'ils	cr aignissent

Passé

Que j'	aie	craint
que tu	aies	craint
qu'il	ait	craint
que n.	ayons	craint
que v.	ayez	craint
qu'ils	aient	craint

Plus-que-parfait

Que j'	eusse	craint
que tu	eusses	craint
qu'il	eût	craint
que n.	eussions	craint
que v.	eussiez	craint
qu'ils	eussent	craint

INFINITIF

Présent	Passé
Cr aindre	Avoir craint

PARTICIPE

Présent	Passé
Cr aignant	Cr aint, ainte ayant craint

VERBES EN –AINCRE: **VAINCRE**[1]

INDICATIF

Présent	*Passé composé*
Je vaincs	J' ai vaincu
tu vaincs	tu as vaincu
il vainc	il a vaincu
nous vainquons	nous avons vaincu
vous vainquez	vous avez vaincu
ils vainquent	ils ont vaincu
Imparfait	***Plus-que-parfait***
Je vainquais	J' avais vaincu
tu vainquais	tu avais vaincu
il vainquait	il avait vaincu
nous vainquions	nous avions vaincu
vous vainquiez	vous aviez vaincu
ils vainquaient	ils avaient vaincu
Passé simple	***Passé antérieur***
Je vainquis	J' eus vaincu
tu vainquis	tu eus vaincu
il vainquit	il eut vaincu
nous vainquîmes	nous eûmes vaincu
vous vainquîtes	vous eûtes vaincu
ils vainquirent	ils eurent vaincu
Futur simple	***Futur antérieur***
Je vaincrai	J' aurai vaincu
tu vaincras	tu auras vaincu
il vaincra	il aura vaincu
nous vaincrons	nous aurons vaincu
vous vaincrez	vous aurez vaincu
ils vaincront	ils auront vaincu

CONDITIONNEL

Présent
Je vaincrais
tu vanicrais
il vaincrait
nous vaincrions
vous vaincriez
ils vaincraient
Passé 1re forme
J' aurais vaincu
tu aurais vaincu
il aurait vaincu, etc.
Passé 2e forme
J' eusse vaincu
tu eusses vaincu
il eût vaincu, etc.

IMPÉRATIF

Présent	*Passé*
Vaincs	Aie vaincu
vainquons	ayons vaincu
vainquez	ayez vaincu

SUBJONCTIF

Présent	*Imparfait*
Que je vainque	Que je vainquisse
que tu vainques	que tu vainquisses
qu'il vainque	qu'il vainquit
que n. vainquions	que n. vainquissions
que v. vainquiez	que v. vainquissiez
qu'ils vainquent	qu'ils vainquissent
Passé	***Plus-que-parfait***
Que j' aie vaincu	Que j' eusse vaincu
que tu aies vaincu	que tu eusses vaincu
qu'il ait vaincu	qu'il eût vaincu
que n. ayons vaincu	que n. eussions vaincu
que v. ayez vaincu	que v. eussiez vaincu
qu'ils aient vaincu	qu'ils eussent vaincu

INFINITIF

Présent	*Passé*
Vaîncre	Avoir vaincu

PARTICIPE

Présent	*Passé*
Vainquant	Vaincu, ue ayant vaincu

1. Les irrégularités du verbe *vaincre* se réduisent à ceci: c'est qu'il ne prend pas le **t** final à la troisième personne du singulier du présent de l'indicatif. Il en est de même pour le verbe *convaincre,* seul verbe conjugué sur *vaincre.*
D'autre part devant une voyelle (sauf **u**) le **c** se change en **qu**: *nous vainquons.*

VERBES EN –OINDRE: JOINDRE

INDICATIF

Présent		***Passé composé***		
je	joins	J'	ai	joint
tu	joins	tu	as	joint
il	joint	il	a	joint
nous	joignons	nous	avons	joint
vous	joignez	vous	avez	joint
ils	joignent	ils	ont	joint

Imparfait		***Plus-que-parfait***		
Je	joignais	J'	avais	joint
tu	joignais	tu	avais	joint
il	joignait	il	avait	joint
nous	joignions	nous	avions	joint
vous	joigniez	vous	aviez	joint
ils	joignaient	ils	avaient	joint

Passé simple		***Passé antérieur***		
Je	joignis	J'	eus	joint
tu	joignis	tu	eus	joint
il	joignit	il	eut	joint
nous	joignîmes	nous	eûmes	joint
vous	joignîtes	vous	eûtes	joint
ils	joignirent	ils	eurent	joint

Futur simple		***Futur antérieur***		
Je	joindraí	J'	aurai	joint
tu	joindras	tu	auras	joint
il	joindra	il	aura	joint
nous	joindrons	nous	aurons	joint
vous	joindrez	vous	aurez	joint
ils	joindront	ils	auront	joint

CONDITIONNEL

Présent

Je	joindrais
tu	joindrais
il	joindrait
nous	joindrions
vous	joindriez
ils	joindraient

Passé 1re forme

J' aurais joint
tu aurais joint
il aurait joint, etc.

Passé 2e forme

J' eusse joint
tu eusses joint
il eût joint, etc.

IMPÉRATIF

Présent

Joins
joignons
joignez

Passé

Aie joint
ayons joint
ayez joint

SUBJONCTIF

Présent		***Imparfait***	
Que je	joigne	Que je	joignisse
que tu	joignes	que tu	joignisses
qu'il	joigne	qu'il	joignît
que n.	joignions	que n.	joignissions
que v.	joigniez	que v.	joignissies
qu'ils	joignent	qu'ils	joignissent

Passé

Que j'	aie	joint
que tu	aies	joint
qu'il	ait	joint
que n.	ayons	joint
que v.	ayez	joint
qu'ils	aient	joint

Plus-que-parfait

Que j'	eusse	joint
que tu	eusses	joint
qu'il	eût	joint
que n.	eussions	joint
que v.	eussiez	joint
qu'ils	eussent	joint

INFINITIF

Présent	***Passé***
Joindre	Avoir joint

PARTICIPE

Présent	***Passé***
Joignant	Joint, te ayant joint

VERBES EN –AIRE (1er type): FAIRE

INDICATIF

Présent	*Passé composé*
Je fais	J' ai fait
tu fais	tu as fait
il fait	il a fait
nous faisons	nous avons fait
vous faites	vous avez fait
ils font	ils ont fait

Imparfait	*Plus-que-parfait*
Je faisais	J' avais fait
tu faisais	tu avais fait
il faisait	il avait fait
nous faisions	nous avions fait
vous faisiez	vous aviez fait
ils faisaient	ils avaient fait

Passé simple	*Passé antérieur*
Je fis	J' eus fait
tu fis	tu eus fait
il fit	il eut fait
nous fîmes	nous eûmes fait
vous fîtes	vous eûtes fait
ils firent	ils eurent fait

Futur simple	*Futur antérieur*
Je ferai	J' aurai fait
tu feras	tu aura fait
il fera	il aura fait
nous ferons	nous aurons fait
vous ferez	vous aurez fait
ils feront	ils auront fait

CONDITIONNEL

Présent	*Passé 1re forme*	*Passé 2e forme*
Je ferais	J' aurais fait	J' eusse fait
tu ferais	tu aurais fait	tu eusses fait
il ferait	il aurait fait, etc.	il eût fait, etc.
nous ferions		
vous feriez		
ils feraient		

IMPÉRATIF

Présent	*Passé*
Fais	Aie fait
faisons	ayons fait
faites	ayez fait

SUBJONCTIF

Présent	*Imparfait*	*Passé*	*Plus-que-parfait*
Que je fasse	Que je fisse	Que j' aie fait	Que j' eusse fait
que tu fasses	que tu fisses	que tu aies fait	que tu eusses fait
qu'il fasse	qu'il fit	qu'il ait fait	qu'il eût fait
que n. fassions	que n. fissions	que n. ayons fait	que n. eussions fait
que v. fassiez	que v. fissiez	que v. ayez fait	que v. eussiez fait
qu'ils fassent	qu'ils fissent	qu'ils aient fait	qu'ils eussent fait

INFINITIF

Présent	*Passé*
Faire	Avoir fait

PARTICIPE

Présent	*Passé*
Faisant	Fait, te Ayant fait

Remarques. — On prononce: *Fesant, je fesais, tu fesais, il fesait, nous fesions, vous fesiez, ils fesaient.* Autrefois, on écrivait au futur: *Je fairai,* au lieu de *je ferai.*
Malfaire = faire de méchantes actions ou du mal, n'est usité qu'à l'infinitif: *être enclin à* malfaire. *Il ne se plaît qu'à* **malfaire** (Académie).
Méfaire, terme de pratique = *nuire, faire tort, faire préjudice, faire le mal,* est familier et peu usité: *Il ne faut ni* **méfaire** *ni médire* (Académie).
Parfaire = achever, n'est guère usité qu'au présent de l'indicatif, au present de l'infinitif et au participe passé: *L'homme perfectionne, mais ne* **parfait** *jamais.*

VERBES EN –AIRE (2e type): **PLAIRE**

INDICATIF

Présent		*Passé composé*		
Je	plais	J'	ai	plu
tu	plais	tu	as	plu
il	plaît	il	a	plu
nous	plaisons	nous	avons	plu
vous	plaisez	vous	avez	plu
Ils	plaisent	ils	ont	plu

Imparfait		*Plus-que-parfait*		
Je	plaisais	J'	avais	plu
tu	plaisais	tu	avais	plu
il	plaisait	il	avait	plu
nous	plaisions	nous	avions	plu
vous	plaisiez	vous	aviez	plu
ils	plaisaient	ils	avaient	plu

Passé simple		*Passé antérieur*		
Je	plus	J'	eus	plu
tu	plus	tu	eus	plu
il	plut	il	eut	plu
nous	plûmes	nous	eûmes	plu
vous	plûtes	vous	eûtes	plu
ils	plurent	ils	eurent	plu

Futur simple		*Futur antérieur*		
Je	plairai	J'	aurai	plu
tu	plairas	tu	auras	plu
il	plaira	il	aura	plu
nous	plairons	nous	aurons	plu
vous	plairez	vous	aurez	plu
ils	plairont	ils	auront	plu

CONDITIONNEL

Présent	
Je	plairais
tu	plairais
il	plairait
nous	plairions
vous	plairiez
ils	plairaient

Passé 1re forme

j' aurais plu
tu aurais plu
il aurait plu, etc

Passé 2e forme

J' eusse plu
tu eusses plu
il eût plu, etc

IMPÉRATIF

Présent

Plais
plaisons
plaisez

Passé

Aie plu
ayons plu
ayez plu

SUBJONCTIF

Présent		*Imparfait*	
Que je	plaise	Que je	plusse
que tu	plaises	que tu	plusses
qu'il	plaise	qu'il	plût
que n.	plaisions	que n.	plussions
que v.	plaisiez	que v.	plussiez
qu'ils	plaisent	qu'ils	plussent

Passé			*Plus-que-parfait*		
Que j'	aie	plu	Que j'	eusse	plu
que tu	aies	plu	que tu	eusses	plu
qu'il	ait	plu	qu'il	eût	plu
que n.	ayons	plu	que n.	eussions	plu
que v.	ayez	plu	que v.	eussiez	plu
qu'ils	aient	plu	qu'ils	eussent	plu

INFINITIF

Présent	*Passé*
Plaire	Avoir plu

PARTICIPE

Présent	*Passé*
Plaisant	Plu[1] ayant plu

Remarque. — Le participe passé de plaire, **complaire, déplaire, se plaire**..., est toujours invariable.

VERBES EM –AIRE (3e type): TRAIRE

INDICATIF		CONDITIONNEL	SUBJONCTIF
Présent	***Passé composé***	***Présent***	***Présent***
Je trais	J' ai trait	Je trairais	Que je traie
tu trais	tu as trait	tu trairais	que tu traies
il trait	il a trait	il trairait	qu'il traie
nous trayons	nous avons trait	nous trairions	que n. trayions
vous trayez	vous avez trait	vous trairiez	que v. trayiez
ils traient	ils ont trait	ils trairaient	qu'ils traient
Imparfait	***Plus-que-parfait***	***Passé 1re forme***	***Imparfait***
Je trayais	J' avais trait	J' aurais trait	*N'existe pas*
tu trayais	tu avais trait	tu aurais trait	
il trayait	il avait trait	il aurait trait, etc.	
nous trayions	nous avions trait	***Passé 2e forme***	
vous trayiez	vous aviez trait	J. eusse trait	
ils trayaient	ils avaient trait	tu eusses trait	
		il eût trait, etc.	
Passé simple	***Passé antérieur***	**IMPÉRATIF**	***Passé***
N'existe pas	J' eus trait	***Présent***	Que j' aie trait
	tu eus trait	Trais	que tu aies trait
	il eut trait	trayons	qu'il ait trait
	nous eûmes trait	trayez	que n. ayons trait
	vous eûtes trait		que v. ayez trait
	ils eurent trait		qu'ils aient trait
Futur simple	***Futur antérieur***	***Passé***	***Plus-que-parfait***
Je trairai	J' aurai trait	Aie trait	Que j' eusse trait
tu trairas	tu auras trait	ayons trait	que tu eusses trait
il traira	il aura trait	ayez trait	qu'il eût trait
nous trairons	nous aurons trait		que n. eussions trait
vous trairez	vous aurez trait		que v. eussiez trait
ils trairont	ils auront trait		qu'ils eussent trait

INFINITIF		PARTICIPE	
Présent	***Passé***	***Présent***	***Passé***
Traire	Avoir trait	Trayant	Trait, aite ayant trait

Remarque. — Le verbe **braire**, conjugué sur **traire**, s'emploie surtout à la 3e personne.

VERBES EN – AITRE: CONNAÎTRE

1° ***Trois modèles**:* **Connaître, naître, paître.**
2° ***Tous les verbes en aître prennent un accent circonflexe sur l'i qui précède le* t.**

INDICATIF

Présent	*Passé composé*
Je conn ais	J' ai connu
tu conn ais	tu as connu
il conn aît	il a connu
nous conn aissons	nous avons connu
vous conn aissez	vous avez connu
ils conn aissent	ils ont connu
Imparfait	***Plus-que-parfait***
Je conn aissais	J' avais connu
tu conn aissais	tu avais connu
il conn aissait	il avait connu
nous conn aissions	nous avions connu
vous conn aissiez	vous aviez connu
ils conn aissaient	ils avaient connu
Passé simple	***Passé antérieur***
je conn us	J' eus connu
tu conn us	tu eus connu
il conn ut	il eut connu
nous conn ûmes	nous eûmes connu
vous conn ûtes	vous eûtes connu
ils conn urent	ils eurent connu
Futur simple	***Futur antérieur***
Je conn aîtrai	J' aurai connu
tu conn aîtras	tu auras connu
il conn aîtra	il aura connu
nous conn aîtrons	nous aurons connu
vous conn aîtrez	vous aurez connu
ils conn aîtront	ils auront connu

CONDITIONNEL

Présent

Je conn aîtrais
tu conn aîtrais
il conn aîtrait
nous conn aîtrions
vous conn aîtriez
ils conn aîtraient

Passé 1re forme

J' aurais connu
tu aurais connu
il aurait connu, etc.

Passé 2e forme

J' eusse connu
tu eusses connu
il eût connu, etc

IMPÉRATIF

Présent

Conn ais
conn aissons
conn aissez

Passé

Aie connu
ayons connu
ayez connu

SUBJONCTIF

Présent	*Imparfait*
Que je conn aisse	Que je conn usse
que tu conn aisses	que tu conn usses
qu'il conn aisse	qu'il conn ût
que n. conn aissions	que n. conn ussions
que v. conn aissiez	que v. conn ussiez
qu'ils conn aissent	qu'ils conn ussent
Passé	***Plus-que-parfait***
Que j' aie connu	Que j' eusse connu
que tu aies connu	que tu eusses connu
qu'il ait connu	qu'il eût connu
que n. ayons connu	que n. eussions connu
que v. ayez connu	que v. eussiez connu
qu'ils aient connu	qu'ils eussent connu

INFINITIF

Présent	*Passé*
Conn aître	Avoir connu

PARTICIPE

Présent	*Passé*
Conn aissant	Conn u ue. ayant connu

VERBE **NAITRE**

INDICATIF

Présent		***Passé composé***		
Je	nais	Je	suis	né
tu	nais	tu	es	né
il	naît	il	est	né
nous	naissons	nous	sommes	nés
vous	naissez	vous	êtes	nés
ils	naissent	ils	sont	nés

Imparfait		***Plus-que-parfait***		
Je	naissais	J'	étais	né
tu	naissais	tu	étais	né
il	naissait	il	était	né
nous	naissions	nous	étions	nés
vous	naissiez	vous	étiez	nés
ils	naissaient	ils	étaient	nés

Passé simple		***Passé antérieur***		
Je	naquis	Je	fus	né
tu	naquis	tu	fus	né
il	naquit	il	fut	né
nous	naquîmes	nous	fûmes	nés
vous	naquîtes	vous	fûtes	nés
ils	naquirent	ils	furent	nés

Futur simple		***Futur antérieur***		
Je	naîtrai	Je	serai	né
tu	naîtras	tu	seras	né
il	naîtra	il	sera	né
nous	naîtrons	nous	serons	nés
vous	naîtrez	vous	serez	nés
ils	naîtront	ils	seront	nés

CONDITIONNEL

Présent	
Je	naîtrais
tu	naîtrais
il	naîtrait
nous	naîtrions
vous	naîtriez
ils	naîtraient

Passé 1re forme	
Je serais	né
tu serais	né
il serait	né, etc.

Passé 2e forme	
Je fusse	né
tu fusses	né
il fût	né, etc.

IMPÉRATIF

Présent
Nais
naissons
naissez

Passé	
Sois	né
soyons	nés
soyez	nés

SUBJONCTIF

Présent	
Que je	naisse
que tu	naisses
qu'il	naisse
que n.	naissions
que v.	naissiez
qu'ils	naissent

Imparfait	
Que je	naquisse
que tu	naquisses
qu'il	naquît
que n.	naquissions
que v.	naquissiez
qu'ils	naquissent

Passé		
Que je	sois	né
que tu	sois	né
qu'il	soit	né
que n.	soyons	nés
que v.	soyez	nés
qu'ils	soient	né

Plus-que-parfait		
Que je	fusse	né
que tu	fusses	né
qu'il	fut	né
que n.	fussions	nés
que v.	fussiez	nés
qu'ils	fussent	nés

INFINITIF

Présent	***Passé***
Naître	Être né

PARTICIPE

Présent	***Passé***
Naissant	Né, née
	étant né

VERBE **PAÎTRE**

Lê verbe paître n'a pás de temps composés; il n'est usité qu'aux temps simples suivants:

INDICATIF				CONDITIONNEL		SUBJONCTIF	
Présent		***Passé simple***		***Présent***		***Présent***	
Je	pais			Je	paîtrais	Que je	paisse
tu	pais			tu	paîtrais	que tu	paisses
il	paît	*N'existe pas*		il	paîtrait	qu'il	paisse
nous	paissons			nous	paîtrions	que n.	paissions
vous	paissez			vous	paîtriez	que v.	paissiez
ils	paissent			ils	paîtraient	qu'ils	paissent
Imparfait		***Futur simple***		**IMPÉRATIF**		***Imparfait***	
		Je	paîtrai	Pais			
tu	paissais	tu	paîtras	paissons			
il	paissait	il	paîtra	paissez		N'existe pas	
nous	paissions	nous	paîtrons				
vous	paissiez	vous	paîtrez				
ils	paissaient	ils	paîtront				

INFINITIF		PARTICIPE	
Présent	Paître	***Présent***	Paissant

Nota. — Le participe passé: **pu**, invariable, n'est usité qu'en termes de fauconnerie.

VERBE **REPAÎTRE**

Repaître se conjugue comme **paître**, mais il a de plus les temps suivants:

INDICATIF

Passé simple: Je repus.

SUBJONCTIF

Imparfait: Que je repusse.

Tous les *temps composés*: j'ai repu, i'avais repu...

VERBES EN –ETTRE: **METTRE**

INDICATIF

Présent		*Passé composé*		
Je	mets	J'	ai	mis
tu	mets	tu	as	mis
il	met	il	a	mis
nous	mettons	nous	avons	mis
vous	mettez	vous	avez	mis
ils	mettent	ils	ont	mis

Imparfait		*Plus-que-parfait*		
Je	mettais	J'	avais	mis
tu	mettais	tu	avais	mis
il	mettait	il	avait	mis
nous	mettions	nous	avions	mis
vous	mettiez	vous	aviez	mis
ils	mettaient	ils	avaient	mis

Passé simple		*Passé antérieur*		
Je	mis	J'	eus	mis
tu	mis	tu	eus	mis
il	mit	il	eut	mis
nous	mîmes	nous	eûmes	mis
vous	mîtes	vous	eûtes	mis
ils	mirent	ils	eurent	mis

Futur simple		*Futur antérieur*		
Je	mettrai	J'	aurai	mis
tu	mettras	tu	auras	mis
il	mettra	il	aura	mis
nous	mettrons	nous	aurons	mis
vous	mettrez	vous	aurez	mis
ils	mettront	ils	auront	mis

CONDITIONNEL

Présent

Je	mettrais
tu	mettrais
il	mettrait
nous	mettrions
vous	mettriez
ils	mettraient

Passé 1re forme

J'aurais mis
tu aurais mis
il aurait mis, etc

Passé 2e forme

J' eusse mis
tu eusses mis
il eût mis, etc.

IMPÉRATIF

Présent

Mets
mettons
mettez

Passé

Aie mis
ayons mis
ayez mis

SUBJONCTIF

Présent

Que je	mette
que tu	mettes
qu'il	mette
que n.	mettions
que v.	mettiez
qu'ils	mettent

Imparfait

Que je	misse
que tu	misses
qu'il	mît
que n.	missions
que v.	missiez
qu'ils	missent

Passé

Que j'	aie	mis
que tu	aies	mis
qu'il	ait	mis
que n.	ayons	mis
que v.	ayez	mis
qu'ils	aient	mis

Plus-que-parfait

Que j'	eusse mis
que tu	eusses mis
qu'il	eût mis
que n.	eussions mis
que v.	eussiez mis
qu'ils	eussent mis

INFINITIF

Présent	*Passé*
Mettre	Avoir mis

PARTICIPE

Présent	*Passé*
Mettant	Mis, ise ayant mis

VERBES EN –ATTRE: **BATTRE**

INDICATIF					CONDITIONNEL		SUBJONCTIF		
Présent		***Passé composé***			***Présent***		***Présent***		
Je	bats	j'	ai	battu	je	batt rais	Que je	batt e	
tu	bats	tu	as	battu	tu	batt rais	que tu	batt es	
il	bat	il	a	battu	il	batt rait	qu'il	batt e	
nous	batt ons	nous	avons	battu	nous	batt rions	que n.	batt ions	
vous	batt ez	vous	avez	battu	vous	batt riez	que v.	batt íez	
ils	batt ent	ils	ont	battu	ils	batt raient	qu'ill	batt ent	
Imparfait		***Plus-que-parfait***			***Passé 1re forme***		***Imparfait***		
Je	batt ais	J'	avais	battu	J' aurais	battu	Que je	batt isse	
tu	batt ais	tu	avais	battu	tu aurais	battu	que tu	batt isses	
il	batt ait	il	avait	battu	il aurait	battu, etc.	qu'il	batt ît	
nous	batt ons	nous	avions	battu			que n.	batt issions	
vous	batt ez	vous	aviez	battu	***Passé 2e forme***		que v.	batt issiez	
ils	batt aient	ils	avaient	battu			qu'ils	batt issent	
					J' eusse	battu			
Passé simple		***Passé antérieur***			tu eusses	battu	***Passé***		
					il eût	battu, etc.			
Je	batt is	J'	eus	battu			Que j'	aie	battu
tu	batt is	tu	eus	battu	**IMPÉRATIF**		que tu	aies	battu
il	batt it	il	eut	battu			qu'il	ait	battu
nous	batt îmes	nous	eûmes	battu	***Présent***		que n.	ayons	battu
vous	batt îtes	vous	eûtes	battu			que v.	ayez	battu
ils	batt irent	ils	eurent	battu	Bats		qu'ils	aient	battu
					batt ons				
Futur simple		***Futur antérieur***			batt ez		***Plus-que-parfait***		
Je	battrai	J'	aurai	battu	***Passé***		Que j'	eusse	battu
tu	battras	tu	auras	battu			que tu	eusses	battu
il	battra	il	aura	battu	Aie	battu	qu'il	eût	battu
nous	battrons	nous	aurons	battu	ayons	battu	que n.	eussions	battu
vous	battrez	vous	aurez	battu	ayez	battu	que v.	eussiez	battu
ils	battront	ils	auront	battu			qu'ils	eussent	battu

INFINITIF		PARTICIPE	
Présent	***Passé***	***Présent***	***Passé***
Batt re	Avoir battu	Batt ant	Batt u, ue ayant battu

VERBE EN –OIRE (1re type): **CROIRE**

INDICATIF

Présent		*Passé composé*		
Je	crois	J'	ai	cru
tu	crois	tu	as	cru
il	croit	il	a	cru
nous	croyons	nous	avons	cru
vous	croyez	vous	avez	cru
ils	croient	ils	ont	cru

Imparfait		*Plus-que-parfait*		
Je	croyais	J'	avais	cru
tu	croyais	tu	avais	cru
il	croyait	il	avait	cru
nous	croyions	nous	avions	cru
vous	croyiez	vous	aviez	cru
ils	croyaient	ils	avaient	cru

Passé simple		*Passé antérieur*		
Je	crus	J'	eus	cru
tu	crus	tu	eus	cru
il	crut	il	eut	cru
nous	crûmes	nous	eûmes	cru
vous	crûtes	vous	eûtes	cru
ils	crurent	ils	eurent	cru

Futur simple		*Futur antérieur*		
Je	croirai	J'	aurai	cru
tu	croiras	tu	auras	cru
il	croira	il	aura	cru
nous	croirons	nous	aurons	cru
vous	croirez	vous	aurez	cru
ils	croiront	ils	auront	cru

CONDITIONNEL

Présent

Je	croirais
tu	croirais
il	croirait
nous	croirions
vous	croiriez
ils	croiraient

Passé 1re forme

j aurais cru
tu aurais cru
ils aurait cru, etc.

Passé 2e forme

J' eusse cru
tu eusses cru
il eût cru, etc.

IMPÉRATIF

Présent

Crois
croyons
croyez

Passé

Aie cru
ayons cru
ayez cru

SUBJONCTIF

Présent		*Imparfait*	
Que je	croie	Que te	crûsse
que tu	croies	que tu	crusses
qu'il	croie	qu'il	crût
que n.	croyions	que n.	crussions
que v.	croyiez	que v.	crussiez
qu'ils	croient	qu'ils	crussent

Passé			*Plus-que-parfait*		
Que j'	aie	cru	Que j'	eusse	cru
que tu	aies	cru	que tu	eusses	cru
qu'il	ait	cru	qu'il	eût	cru
que n.	ayons	cru	que n.	eussions	cru
que v.	ayez	cru	que v.	eussiez	cru
qu'ils	aient	cru	qu'ils	eussent	cru

INFINITIF		PARTICIPE	
Présent	*Passé*	*Présent*	*Passé*
Croire	Avoir cru	Croyant	Cru, ue ayant cru

VERBES EN –OITRE: CROÎTRE

INDICATIF

Présent		*Passé composé*		
Je	croîs	J'	ai	crû
tu	croîs	tu	as	crû
il	croît	il	a	crû
nous	croissons	nous	avons	crû
vous	croissez	vous	avez	crû
ils	croissent	ils	ont	crû

Imparfait		*Passé antérieur*		
Je	croissais	J'	eus	crû
tu	croissais	tu	eus	crû
il	croissait	il	eut	crû
nous	croissions	nous	eûmes	cru
vous	croissiez	vous	eûtes	cru
ils	croissaient	ils	eurent	crû

Passé simple		*Plus-que-parfait*		
Je	crûs	J'	avais	crû
tu	crûs	tu	avais	crû
il	crût	il	avait	crû
nous	crûmes	nous	avions	crû
vous	crûtes	vous	aviez	crû
ils	crûrent	ils	avaient	crû

Futur simple		*Futur antérieur*		
Je	croîtrai	J'	aurai	crû
tu	croîtras	tu	auras	crû
il	croîtra	il	aura	crû
nous	croîtrons	nous	aurons	crû
vous	croîtrez	vous	aurez	crû
ils	croîtront	ils	auront	crû

CONDITIONNEL

Présent	
Je	croîtrais
tu	croîtrais
il	croîtrait
nous	croîtrions
vous	croîtriez
ils	croitraient

Passé 1re forme

J' aurais crû
tu aurais crû
il aurait crû, etc.

Passé 2e forme

J' eusse crû
tu eusses crû
il eût cru, etc.

IMPÉRATIF

Présent

Crois
croissons
croissez

Passé

Aie crû
ayons crû
ayez crû

SUBJONCTIF

Présent	
Que je	croisse
que tu	croisses
qu'il	croisse
que n.	croissions
que v.	croissiez
qu'ill	croissent

Imparfait	
Que je	crûsse
que tu	crusses
qu'il	crût
que n.	crussions
que v.	crussiez
qu'ils	crussent

Passé		
Que j'	aie	crû
que tu	aies	crû
qu'il	ait	crû
que n.	ayons	crû
que v.	ayez	crû
qu'ils	aient	crû

Plus-que-parfait		
Que j'	eusse	crû
que tu	eusses	crû
qu'il	eût	crû
que n.	eussions	crû
que v.	eussiez	crû
qu'ils	eussent	crû

INFINITIF

Présent	*Passé*
Croître	Avoir crû

PARTICIPE

Présent	*Passé*
Croissant	Cru, ue Ayant crû

VERBE EN –OIRE (2e type): **BOIRE**

INDICATIF

Présent		*Passé composé*		
Je	bois	J'	ai	bu
tu	bois	tu	as	bu
il	boit	il	a	bu
nous	buvons	nous	avons	bu
vous	buvez	vous	avez	bu
ils	boivent	ils	ont	bu

Imparfait		*Passé antérieur*		
Je	buvais	J'	eus	bu
tu	buvais	tu	eus	bu
il	buvait	il	eut	bu
nous	buvions	nous	eûmes	bu
vous	buviez	vous	eûtes	bu
ils	buvaient	ils	eurent	bu

Passé simple		*Plus-que-parfait*		
Je	bus	J'	avais	bu
tu	bus	tu	avais	bu
il	but	il	avait	bu
nous	bûmes	nous	avions	bu
vous	bûtes	vous	aviez	bu
ils	burent	ils	avaient	bu

Futur simple		*Futur antérieur*		
Je	boirai	J'	aurai	bu
tu	boiras	tu	auras	bu
il	boira	il	aura	bu
nous	boirons	nous	aurons	bu
vous	boirez	vous	aurez	bu
ils	boiront	ils	auront	bu

CONDITIONNEL

Présent	
Je	boirais
tu	boirais
il	boirait
nous	boirions
vous	boiriez
ils	boiraient

Passé 1re forme	
J' aurais	bu
tu aurais	bu
il aurait	bu, etc.

Passé 2e forme	
J' eusse	bu
tu eusses	bu
il eût	bu, etc.

IMPÉRATIF

Présent	*Passé*
Bois	Aie bu
buvons	ayons bu
buvez	ayez bu

SUBJONCTIF

Présent		*Imparfait*	
Que je	boive	Que je	busse
que tu	boives	que tu	busses
qu'il	boive	qu'il	bût
que n.	buvions	que n.	bussions
que v.	buviez	que v.	bussiez
qu'ils	boivent	qu'ils	bussent

Passé			*Plus-que-parfait*		
Que j'	aie	bu	Que j'	eusse	bu
que tu	aies	bu	que tu	eusses	bu
qu'il	ait	bu	qu'il	eût	bu
que n.	ayons	bu	que n.	eussions	bu
que v.	ayez	bu	que v.	eussiez	bu
qu'ils	aient	bu	qu'ils	eussent	bu

INFINITIF

Présent	*Passé*
Boire	Avoir bu

PARTICIPE

Présent	*Passé*
Buvant	Bu, ue ayant bu

VERBES EN –OUDRE (1er type): ABSOUDRE

INDICATIF

Présent		*Passé composé*		
J'	absous	J'	ai	absous
tu	absous	tu	as	absous
il	absout	il	a	absous
nous	absolvons	nous	avons	absous
vous	absolvez	vous	avez	absous
ils	absolvent	ils	ont	absous
Imparfait		*Plus-que-parfait*		
J'	absolvais	j'	avais	absous
tu	absolvais	tu	avais	absous
il	absolvait	il	avait	absous
nous	absolvions	nous	avons	absous
vous	absolviez	vous	aviez	absous
ils	absolvaient	ils	avaient	absous
Passé simple		*Passé antérieur*		
N'existe pas		J'	eus	absous
		tu	eus	absous
		il	eut	absous
		nous	eûmes	absous
		vous	eûtes	absous
		ils	eurent	absous
Futur simple		*Futur antérieur*		
J'	absoudrai	J'	aurai	absous
tu	absoudras	tu	auras	absous
il	absoudra	il	aura	absous
nous	absoudrons	nous	auront	absous
vous	absoudrez	vous	aurez	absous
ils	absoudront	ils	auront	absous

CONDITIONNEL

Présent

J'	absoudrais
tu	absoudrais
qu' il	absoudrait
nous	absoudrions
vous	absoudriez
qu'ils	absoudraient

Passé 1re forme

J' aurais absous
tu aurais absous
il aurait absous, etc

Passé 2e forme

J' eusse absous
tu eusses absous
il eût absous, etc.

IMPÉRATIF

Présent

Absous
absolvons
absolvez

Passé

Aie absous
ayons absous
ayez absous

SUBJONCTIF

Présent

Que j'	absolve
que tu	absolves
qu'il	absolve
que n.	absolvions
que v.	absolviez
qu'ils	absolvent

Imparfait

N' existe pas

Passé

Que j'	aie	absous
que tu	aies	absous
qu'il	ait	absous
que n.	ayons	absous
que v.	ayez	absous
qu'ils	aient	absous

Plus-que-parfait

Que j'	eusse	absous
que tu	esses	absous
qu'il	eût	absous
que n.	eussions	absous
que v.	eussiez	absous
qu'ils	eussent	absous

INFINITIF

Présent	*Passé*
Absoudre	Avoir absous

PARTICIPE

Présent	*Passé*
Absolvant	Absous, oute ayant absous

VERBES EM –OUDRE (2e type): COUDRE

INFINITIF

Présent

Je	couds
tu	couds
il	coud
nous	cousons
vous	cousez
ils	cousent

Imparfait

Je	cousais
tu	cousais
il	cousait
nous	cousions
vous	cousiez
ils	cousaient

Passé simple

Je	cousis
tu	cousis
il	cousit
nous	cousimes
vous	cousites
ils	cousirent

Futur simple

Je	coudrai
tu	coudras
il	coudra
nous	coudrons
vous	coudrez
íls	coudront

Passé composé

J'	ai	cousu
tu	as	cousu
il	a	cousu
nous	avons	cousu
vous	avez	cousu
ils	ont	cousu

Plus-que-parfait

J'	avais	cousu
tu	avais	cousu
il	avait	cousu
nous	avions	cousu
vous	aviez	cousu
ils	avaient	cousu

Passé antérieur

J'	eus	cousu
tu	eus	cousu
il	eut	cousu
nous	eûmes	cousu
vous	eûtes	cousu
ils	eurent	cousu

Futur antérieur

J'	aurai	cousu
tu	auras	cousu
il	aura	cousu
nous	aurons	cousu
vous	aurez	cousu
ils	auront	cousu

CONDITIONNEL

Présent

Je	coudrais
tu	coudrais
il	coudrait
nous	coudrions
vous	coudriez
ils	coudraient

Passé 1re forme

J' aurais cousu
tu aurais cousu
il aurait cousu, etc.

Passé 2e forme

J' eusse cousu
tu eusses cousu
il eût cousu, etc.

IMPÉRATIF

Présent

Couds
cousons
cousez

Passé

Aie cousu
ayons cousu
ayez cousu

SUBJONCTIF

Présent

Que je	couse
que tu	couses
qu'il	couse
que n.	cousions
que v.	cousiez
qu'ils	cousent

Imparfait

Que je	cousisse
que tu	cousisses
qu'il	cousît
que n.	cousissions
que v.	cousissiez
qu'ils	cousissent

Passé

Que j'	aie	cousu
que tu	aies	cousu
qu'il	ait	cousu
que n.	ayons	cousu
que v.	ayez	cousu
qu'ils	aient	cousu

Plus-que-parfait

Que j'	eusse	cousu
que tu	eusses	cousu
qu'il	eût	cousu
que n.	eussions	cousu
que v.	eussiez	cousu
qu'ils	eussent	cousu

INFINITIF

Présent	Passé
Coudre	Avoir cousu

PARTICIPE

Présent	Passé
Cousant	Cousu, ue ayant cousu

VERBES EN –OUDRE (3e type): **MOUDRE**

INDICATIF		CONDITIONNEL	SUBJONCTIF
Présent	***Passé composé***	***Présent***	***Présent***
Je mouds	J' ai moulu	Je moudrais	Que je moule
tu mouds	tu as moulu	tu moudrais	que tu moules
il moud	il a moulu	il moudrait	qu'il moule
nous moulons	nous avons moulu	nous moudrions	que n. moulions
vous moulez	vous avez moulu	vous moudriez	que v. mouliez
ils moulent	ils ont moulu	ils moudraient	qu'ils moulent
Imparfait	***Plus-que-parfait***	***Passé 1re forme***	***Imparfait***
Je moulais	J' avais moulu	J' aurais moulu	Que je moulusse
tu moulais	tu avais moulu	tu aurais moulu	que tu moulusses
il moulait	il avait moulu	il aurait moulu, etc	qu'il moulût
nous moulions	nous avions moulu		que n. moulussions
vous mouliez	vous aviez moulu	***Passé 2e forme***	que v. moulussiez
ils moulaient	ils avaient moulu		qu'ils moulussent
		J' eusse moulu	
Passé simple	***Passé antérieur***	tu eusses moulu	***Passé***
		il eût moulu, etc	
Je moulus	j' eus moulu		Que j' aie moulu
tu moulus	tu eus moulu		que tu aies moulu
il moulut	il eut moulu	**IMPÉRATIF**	qu'il ait moulu
nous moulûmes	nous eûmes moulu		que n. ayons moulu
vous moulûtes	vous eûtes moulu	***Présent***	que v. ayez moulu
ils moulurent	ils eurent moulu		qu'ils aient moulu
		Mouds	
Futur simple	***Futur antérieur***	moulons	***Plus-que-parfait***
		moulez	
Je moudrai	J' aurai moulu		Que j' eusse moulu
tu moudras	tu auras moulu	***Passé***	que tu eusses moulu
il moudra	il aura moulu		qu'il eût moulu
nous moudrons	nous aurons moulu	Aie moulu	que n. eussions moulu
vous moudrez	vous aurez moulu	ayons moulu	que v. eussiez moulu
ils moudront	ils auront moulu	ayez moulu	qu'ils eussent moulu

INFINITIF		PARTICIPE	
Présent	***Passé***	***Présent***	***Passé***
Moudre	Avoir moulu	Moulant	Moulu, ue
			ayant moulu

VERBES EN –IVRE (1er type): **SUIVRE**

INDICATIF

Présent

Je	suis
tu	suis
il	suit
nous	suivons
vous	suivez
ils	suivent

Passé composé

J'	ai	suivi
tu	as	suivi
il	a	suivi
nous	avons	suivi
vous	avez	suivi
ils	ont	suivi

Imparfait

Je	suivais
tu	suivais
il	suivait
nous	suivions
vous	suiviez
ils	suivaient

Plus-que-parfait

J'	avais	suivi
tu	avais	suivi
il	avait	suivi
nous	avions	suivi
vous	aviez	suivi
ils	avaient	suivi

Passé simple

Je	suivis
tu	suivis
il	suivit
nous	suivîmes
vous	suivîtes
ils	suivirent

Futur antérieur

J'	eus	suivi
tu	eus	suivi
il	eut	suivi
nous	eûmes	suivi
vous	eûtes	suivi
ils	eurent	suivi

Futur simple

Je	suivrai
tu	suivra
il	suivra
nous	suivrons
vous	suivrez
ils	suivront

Futur antérieur

J'	aurai	suivi
tu	auras	suivi
il	aura	suivi
nous	aurons	suivi
vous	aurez	suivi
ils	auront	suivi

CONDITIONNEL

Présent

Je	suivrais
tu	suivrais
il	suivrait
nous	suivrions
vous	suivriez
ils	suivraient

Passé 1re forme

J' aurais suivi
tu aurais suivi
il aurait suivi, etc.

Passé 2e forme

J' eusses suivi
tu eusses suivi
il eût suivi, etc.

IMPÉRATIF

Présent

Suis
suivons
suivez

Passé

Aie suivi
ayons suivi
ayez suivi

SUBJONCTIF

Présent

Que je	suive
que tu	suives
qu'il	suive
que n.	suivions
que v.	suiviez
qu'ils	suivent

Imparfait

Que je	suivisse
que tu	suivisses
qu'il	suivît
que n.	suivissions
que v.	suivissiez
qu'ils	suivissent

Passé

Que j'	aie	suivi
que tu	aies	suivi
qu'il	ait	suivi
que n.	ayons	suivi
que v.	ayez	suivi
qu'ils	aient	suivi

Plus-que-parfait

Que j'	eusse	suivi
que tu	eusses	suivi
qu'il	eût	suivi
que n.	eussions	suivi
que v.	eussiez	suivi
qu'ils	eussent	suivi

INFINITIF

Présent	*Passé*
Suivre	Avoir suivi

PARTICIPE

Présent	*Passé*
Suivant	Suivi, ie ayant suivi

VERBES EN –IVRE (2e type): **VIVRE**

INDICATIF

Présent		***Passé composé***		
Je	vis	J'	ai	vécu
tu	vis	tu	as	vécu
il	vit	il	a	vécu
nous	vivons	nous	avons	vécu
vous	vivez	vous	avez	vécu
ils	vivent	ils	ont	vécu
Imparfait		***Plus-que-parfait***		
Je	vivais	J'	avais	vécu
tu	vivais	tu	avais	vécu
il	vivait	il	avait	vécu
nous	vivions	nous	avions	vécu
vous	viviez	vous	aviez	vécu
ils	vivaient	ils	avaient	vécu
Passé simple		***Passé antérieur***		
Je	vécus	J'	eus	vécu
tu	vécus	tu	eus	vécu
il	vécut	il	eut	vécu
nous	vécûmes	nous	eûmes	vécu
vous	vécûtes	vous	eûtes	vécu
ils	vécurent	ils	eurent	vécu
Futur simple		***Futur antérieur***		
Je	vivrai	J'	aurai	vécu
tu	vivras	tu	auras	vécu
il	vivra	il	aura	vécu
nous	vivrons	nous	aurons	vécu
vous	vivrez	vous	aurez	vécu
ils	vivront	ils	auront	vécu

CONDITIONNEL

Présent

Je	vivrai
tu	vivrais
il	vivrait
nous	vivrions
vous	vivriez
ils	vivraient

Passé 1re forme

J' aurais vécu
tu aurais vécu
il aurait vécu, etc.

Passé 2e forme

J' eusse vécu
tu eusses vécu
il eût vécu, etc.

IMPÉRATIF

Présent

Vis
vivons
vivez

Passé

Aie vécu
ayons vécu
ayez vécu

SUBJONCTIF

Présent

Que je	vive
que tu	vives
qu'il	vive
que n.	vivions
que v.	viviez
qu'ils	vivent

Imparfait

Que je	vécusses
que tu	vécusses
qu'il	vécût
que n.	vécussions
que v.	vécussiez
qu'ils	vécussent

Passé

Que j'	aie	vécu
que tu	aies	vécu
qu'il	ait	vécu
que n.	ayons	vécu
que v.	ayez	vécu
qu'ils	aient	vécu

Plus-que-parfait

Que j'	eusse	vécu
que tu	eusses	vécu
qu'il	eût	vécu
que n.	eussions	vécu
que v.	eussiez	vécu
qu'ils	eussent	vécu

INFINITIF

Présent	***Passé***
Vivre	Avoir vécu

PARTICIPE

Passé	***Passé***
Vivant	Vécu ayant vécu

VERBES EN –ORE: CLORE

PARTICIPE		CONDITIONNEL	SUBJONCTIF
Présent	***Passé composé***	***Présent***	***Présent***
Je clos	J' ai clos	Je clorais	Que je close
tu clos	tu as clos	tu clorais	que tu closes
il clôt	il a clos	il clorait	qu'il close
ils closent	nous avons clos	nous clorions	que n. closions
	vous avez clos	vous cloriez	que v. closiez
	ils ont clos	ils cloraient	qu'ils closent
Imparfait	***Plus-que-parfait***	***Passé 1re forme***	***Imparfait***
	j' avais clos	J' aurais clos	
	tu avais clos	tu aurais clos	
N' existe pas	il avait clos	il aurait clos, etc	*N'existe pas*
	nous avions clos		
	vous aviez clos	***Passé 2e forme***	
	ils avaient clos		
		j' eusse clos	
Passé simple	***Passé antérieur***	tu eusses clos	***Passé***
		il eût clos, etc.	
	j' eus clos		Que j' aie clos
	tu eus clos		que tu aies clos
N' existe pas	il eut clos	**IMPÉRATIF**	qu'il ait clos
	nous eûmes clos		que n. ayons clos
	vous eûtes clos	***Présent***	que v. ayez clos
	ils eurent clos		qu'ils aient clos
		Clos	
Futur simple	***Futur antérieur***		***Plus-que-parfait***
Je clorai	j' aurai clos		Que j' eusse clos
tu cloras	tu auras clos	***Passé***	que tu eusses clos
il clora	il aura clos		qu'il eût clos
nous clorons	nous aurons clos	Aie clos	que n. eussions clos
vous clorez	vous aurez clos	ayons clos	que v. eussiez clos
ils cloront	ils auront clos	ayez clos	qu'ils eussent clos

INFINITIF		PARTICIPE	
Présent	***Passé***	***Présent***	***Passé***
Clore	Avoir clos	Closant	Clos, se ayant clos

VERBES EN –URE: CONCLURE

INDICATIF

Présent		*Passé composé*		
Je	conclus	J'	ai	conclu
tu	conclus	tu	as	conclu
il	conclut	il	a	conclu
nous	concluons	nous	avons	conclu
vous	concluez	vous	avez	conclu
ils	concluent	ils	ont	conclu

Imparfait		*Plus-que-parfait*		
Je	concluais	J'	avais	conclu
tu	concluais	tu	avais	conclu
il	concluait	il	avait	conclu
nous	concluions	nous	avions	conclu
vous	concluiez	vous	aviez	conclu
ils	concluaient	ils	avaient	conclu

Passé simple		*Passé antérieur*		
Je	conclus	J'	eus	conclu
tu	conclus	tu	eus	conclu
il	conclut	il	eut	conclu
nous	conclûmes	nous	eûmes	conclu
vous	conclûtes	vous	eûtes	conclu
ils	conclurent	ils	eurent	conclu

Futur simple		*Futur antérieur*		
Je	conclurai	J'	aurai	conclu
tu	concluras	tu	auras	conclu
il	conclura	il	aura	conclu
nous	conclurons	nous	aurons	conclu
vous	conclurez	vous	aurez	conclu
ils	concluront	ils	auront	conclu

CONDITIONNEL

Présent

Je	conclurais
tu	conclurais
il	conclurait
nous	conclurions
vous	concluriez
ils	concluraient

Passé 1re forme

J' aurais conclu
tu aurais conclu
il aurait conclu, etc.

Passé 2e forme

J' eusse conclu
tu eusses conclu
il eût conclu, etc

SUBJONCTIF

Présent

Que je	conclue
que tu	conclues
qu'il	conclue
que n.	concluions
que v.	concluiez
qu'ils	concluent

Imparfait

Que je	conclusse
que tu	conclusses
qu'il	conclût
que n.	conclussions
que v.	conclussiez
qu'ils	conclussent

Passé

Que j'	aie	conclu
que tu	aies	conclu
qu'il	ait	conclu
que n.	ayons	conclu
que v.	ayez	conclu
qu'ils	aient	conclu

Plus-que-parfait

Que j'	eusse	conclu
que tu	eusses	conclu
qu'il	eût	conclu
que n.	eussions	conclu
que v.	eussiez	conclu
qu'ils	eussent	conclu

IMPÉRATIF

Présent

Conclus
concluons
concluez

Passé

Aie conclu
ayons conclu
ayez conclu

INFINITIF

Présent	*Passé*
Conclure	Avoir conclu

PARTICIPE

Présent	*Passé*
Concluant	Conclu, ue ayant conclu

VERBES EN –IRE: LIRE

INDICATIF

Présent

Je	lis
tu	lis
il	lit
nous	lisons
vous	lisez
ils lisent	

Passé composé

J'	ai	lu
tu	as	lu
il	a	lu
nous	avons	lu
vous	avez	lu
ils	ont	lu

Imparfait

Je	lisais
tu	lisais
il	lisait
nous	lisions
vous	lisiez
ils	lisaient

Plus-que-parfait

j'	avais	lu
tu	avais	lu
il	avait	lu
nous	avions	lu
vous	aviez	lu
ils	avaient	lu

Passé simple

Je	lus
tu	lus
il	lut
nous	lûmes
vous	lûtes
ils	lurent

Passé antérieur

J'	eus	lu
tu	eus	lu
il	eut	lu
nous	eûmes	lu
vous	eûtes	lu
ils	eurent	lu

Futur simple

Je	lirai
tu	liras
il	lira
nous	lirons
vous	lirez
ils	liront

Futur antérieur

j'	aurai	lu
tu	auras	lu
il	aura	lu
nous	aurons	lu
vous	aurez	lu
ils	auront	lu

CONDITIONNEL

Présent

Je	lirais
tu	lirais
il	lirait
nous	lirions
vous	liriez
ils	liraient

Passé 1re forme

j' aurais lu
tu aurais lu
il aurait lu, etc.

Passé 2e forme

j' eusse lu
tu eusses lu
il eût lu, etc.

IMPÉRATIF

Présent

Lis
lisons
lisez

Passé

Aie lu
ayons lu
ayez lu

SUBJONCTIF

Présent

Que je	lise
que tu	lises
qu'il	lise
que n.	lisions
que v.	lisiez
qu'ils	lisent

Imparfait

Que je	lusse
que tu	lusses
qu'il	lût
que n.	lussions
que v.	lussiez
qu'ils	lussent

Passé

Que j'	aie	lu
que tu	aies	lu
qu'il	ait	lu
que n.	ayons	lu
que v.	ayez	lu
qu'ils	aient	lu

Plus-que-parfait

Que j'	eusse	lu
que tu	eusses	lu
qu'il	eût	lu
que n.	eussions	lu
que v.	eussiez	lu
qu'ils	eussent	lu

INFINITIF

Présent: Lire

Passé: Avoir lu

PARTICIPE

Présent: Lisant

Passé: Lu, lue
ayant lu

VERBES EN –IRE: DIRE

INDICATIF

Présent		*Passé composé*		
Je	dis	J'	ai	dit
tu	dis	tu	as	dit
il	dit	il	a	dit
nous	disons	nous	avons	dit
vous	dites	vous	avez	dit
ils	disent	ils	ont	dit

Imparfait	*Plus-que-parfait*		
Je disais	J'	avais	dit
tu disais	tu	avais	dit
il disait	il	avait	dit
nous disions	nous	avions	dit
vous disiez	vous	aviez	dit
ils disaient	ils	avaient	dit

Passé simple	*Passé antérieur*		
Je dis	J.	eus	dit
tu dis	tu	eus	dit
il dit	il	eut	dit
nous dîmes	nous	eûmes	dit
vous dîtes	vous	eûtes	dit
ils dirent	ils	eurent	dit

Futur simple	*Futur antérieur*		
Je dirai	J'	aurai	dit
tu diras	tu	auras	dit
il dira	il	aura	dit
nous dirons	nous	aurons	dit
vous direz	vous	aurez	dit
ils diront	ils	auront	dit

CONDITIONNEL

Présent

Je	dirais
tu	dirais
il	dirait
nous	dirions
vous	diriez
íls	diraient

Passé 1re forme

J' aurais dit
tu aurais dit
il aurait dit, etc.

Passé 2e forme

J' eusse dit
tu eusses dit
il eût dit, etc.

IMPÉRATIF

Présent

Dis
disons
dites

Passé

Aie dit
ayons dit
ayez dit

SUBJONCTIF

Présent		*Imparfait*	
Que je	dise	Que je	disse
que tu	dises	que tu	disses
qu'il	dise	qu'il	dît
que n.	disions	que n.	dissions
que v.	disiez	que v.	dissiez
qu'ils	disent	qu'ils	dissent

Passé			*Plus-que-parfait*		
Que j'	aie	dit	Que j'	eusse	dit
que tu	aies	dit	que tu	eusses	dit
qu'il	ait	dit	qu'il	eût	dit
que n.	ayons	dit	que n.	eussions	dit
que v.	ayez	dit	que v.	eussiez	dit
qu'ils	aient	dit	qu'ils	eussent	dit

INFINITIF

Présent	*Passé*
Dire	Avoir dit

PARTICIPE

Présent	*Passé*
Disant	Dit, ite ayant dit

Ainsi se conjugue le verbe **redire.**

VERBES EN –IRE: MÉDIRE

INDICATIF

Présent		*Passé composé*		
Je	médis	J'	ai	médit
tu	médis	tu	as	médit
il	médit	il	a	médit
nous	médisons	nous	avons	médit
vous	médisez	vous	avez	médit
ils	médisent	ils	ont	médit

Imparfait		*Plus-que-parfait*		
Je	médisais	J'	avais	médit
tu	médisait	tu	avais	médit
ils	médisait	il	avait	médit
nous	médisions	nous	avions	médit
vous	médisiez	vous	aviez	médit
ils	médisaient	ils	avaient	médit

Passé simple		*Passé antérieur*		
Je	médis	J'	eus	médit
tu	médis	tu	eus	médit
il	médit	il	eut	médit
nous	médîmes	nous	eûmes	médit
vous	médîtes	vous	eûtes	médit
ils	médirent	ils	eurent	médit

Futur **simple**		*Futur antérieur*		
Je	médirai	J'	aurai	médit
tu	médiras	tu	auras	médit
il	médira	il	aura	médit
nous	médirons	nous	aurons	médit
vous	médirez	vous	aurez	médit
ils	médiront	ils	auront	médit

CONDITIONNEL

Présent

Je	médirais
tu	médirais
il	médirait
nous	médirions
vous	médiriez
ils	médiraient

Passé 1re forme

J. aurais médit
tu aurais médit
il aurait médit, etc.

Passé 2e forme

J' eusse médit
tu eusses médit
il eût médit, etc.

IMPÉRATIF

Présent

Médis
médisons
médisez

Passé

Aie médit
ayons médit
ayez médit

SUBJONCTIF

Présent		*Imparfait*	
Que je	médise	Que je	médisse
que tu	médises	que tu	médisses
qu'il	médise	qu'il	médît
que n.	médisions	que n.	médissions
que v.	médisiez	que v.	médissiez
qu'ils	médisent	qu'ils	médissent

Passé			*Plus-que-parfait*		
Que j'	aie	médit	Que j'	eusse	médit
que tu	aies	médit	que tu	eusses	médit
qu'il	ait	médit	qu'il	eût	médit
que n.	ayons	médit	que n.	eussions	médit
que v.	ayez	médit	que v.	eussiez	médit
qu'ils	aient	médit	qu'ils	eussent	médit

INFINITIF

Présent	*Passé*
Médire	Avoir médit

PARTICIPE

Présent	*Passé*
Médisant	Médit, ite ayant médit

Ainsi se conjuguent: **contredire, dédire, interdire** et **prédire.**

VERBE **MAUDIRE**

INDICATIF		CONDITIONNEL	SUBJONCTIF
Présent	***Passé composé***	***Présent***	***Présent***
Je maudis	J' ai maudit	Je maudirais	Que je maudisse
tu maudis	tu as maudit	tu maudirais	que tu maudisses
il maudit	il a maudit	il maudirait	qu'il maudisse
nous maudissons	nous avons maudit	nous maudirions	que n. maudissions
vous maudissez	vous avez maudit	vous maudiriez	que v. maudissiez
ils maudissent	ils ont maudit	ils maudiraient	qu'ils maudissent
Imparfait	***Plus-que-parfait***	***Passé 1re forme***	***Imparfait***
Je maudissais	J' avais maudit	J' aurais maudit	Que je maudisse
tu maudissais	tu avais maudit	tu aurais maudit	que tu maudisses
il maudissait	il avait maudit	il aurait maudit, etc.	qu'il maudit
nous maudissions	nous avions maudit		que n. maudissions
vous maudissiez	vous aviez maudit	***Passé 2e forme***	que v. maudissiez
ils maudissaient	ils avaient maudit		qu'ils maudissent
		J. eusse maudit	
Passé simple	***Passé antérieur***	tu eusses maudit	***Passé***
		il eût maudit, etc.	
Je maudis	J' eus maudit		Que j' aie maudit
tu maudis	tu eus maudit		que tu aies maudit
il maudit	il eut maudit	**IMPÉRATIF**	qu'il ait maudit
nous maudîmes	nous eûmes maudit		que n. ayons maudit
vous maudîtes	vous eûtes maudit	***Présent***	que v. ayez maudit
ils maudirent	ils eurent maudit		qu'ils aient maudit
		Maudis	
Futur simple	***Futur antérieur***	maudissons	***Plus-que-parfait***
		maudissez	
Je maudirai	J' aurai maudit		Que j' eusse maudit
tu maudiras	tu auras maudit	***Passé***	que tu eusses maudit
il maudira	il aura maudit		qu'il eût maudit
nous maudirons	nous aurons maudit	Aie maudit	que n. eussions maudit
vous maudirez	vous aurez maudit	ayons maudit	que v. eussiez maudit
ils maudiront	ils auront maudit	ayez maudit	qu'ils eussent maudit

INFINITIF		PARTICIPE	
Présent	***Passé***	***Présent***	***Passé***
Maudire	Avoir maudit	Maudissant	Maudit, ite
			ayant maudit

Remarque. — Maudire semble appartenir au 3e groupe par son infinitif présent: maudire, et son participe passé: *maudit,* mais, pour tout le reste sa conjugaison est celle du 2e groupe fait observer la *Grammaire de l' Académie.* Pour rester fidèles à la nouvelle nomenclature grammaticale imposée dans les classes, nous le maintenons parmi les verbes du 3e groupe.

VERBES EN –IRE: ÉCRIRE

INDICATIF

Présent		*Passé composé*		
J'	écris	J'	ai	écrit
		tu	as	écrit
		il	a	écrit
nous	écriv ons	nous	avons	écrit
vous	écriv ez	vous	avez	écrit
ils	écriv ent	ils	ont	écrit

Imparfait		*Plus-que-parfait*		
J'	écriv ais	J'	avais	écrit
tu	écriv ais	tu	avais	écrit
il	écriv ait	il	avait	écrit
nous	écriv ions	nous	avions	écrit
vous	écriv iez	vous	aviez	écrit
ils	écriv aient	ils	avaient	écrit

Passé simple		*Passé antérieur*		
J'	écriv is	J'	eus	écrit
tu	écriv ais	tu	eus	écrit
il	écriv ait	il	eut	écrit
nous	écriv îmes	nous	eûmes	écrit
vous	écriv îtes	vous	eûtes	écrit
ils	écriv irent	ils	eussent	écrit

Futur simple		*Futur antérieur*		
J'	écr irai	J'	aurai	écrit
tu	écr iras	tu	auras	écrit
il	écr ira	il	aura	écrit
nous	écr irons	nous	auront	écrit
vous	écr irez	vous	aurez	écrit
ils	écr iront	ils	auront	écrit

CONDITIONNEL

Présent	
J'	écr irais
tu	écr irais
il	écr irait
nous	écr irions
vous	écr iriez
ils	écr iraient

Passé 1re forme

J. aurais écrit
tu aurais écrit
il aurait écrit, etc.

Passé 2e forme

J' eusse écrit
tu eusses écrit
il eût écrit, etc.

IMPÉRATIF

Présent

Écris
écrivons
écrivez

Passé

Aie écrit
ayons écrit
ayez écrit

SUBJONCTIF

Présent	
Que j'	écriv e
que tu	écriv es
qu'il	écriv e
que n	écriv ions
que v	écriv iez
qu'ils	écriv ent

Imparfait	
Que j'	écriv isse
que tu	écriv isses
qu'il	écriv ît
que n.	écriv issions
que v.	écriv issiez
qu'ils	écriv issent

Passé		
Que j'	aie	écrit
que tu	aies	écrit
qu'il	ait	écrit
que n.	ayons	écrit
que v.	ayez	écrit
qu'ils	aient	écrit

Plus-que-parfait		
Que j'	eusse	écrit
que tu	eusses	écrit
qu'il	eût	écrit
que n.	eussions	écrit
que v.	eussiez	écrit
qu'ils	eussent	écrit

INFINITIF

Présent	*Passé*
Écr ire	Avoir écrit

PARTICIPE

Présent	*Passé*
Écriv ant	Écrit, îte ayant écrit

VERBES EN –IRE: **RIRE**

INDICATIF

Présent		Passé composé		
Je	ris	J'	ai	ri
tu	ris	tu	as	ri
il	rit	il	a	ri
nous	rions	nous	avons	ri
vous	riez	vous	avez	ri
ils	rient	ils	ont	ri

Imparfait		Plus-que-parfait		
Je	riais	J'	avais	ri
tu	riais	tu	avais	ri
il	riait	il	avait	ri
nous	riions	nous	avions	ri
vous	riiez	vous	aviez	ri
ils	riaient	ils	avaient	ri

Passé simple		Passé antérieur		
Je	ris	J'	eus	ri
tu	ris	tu	eus	ri
il	rit	il	eut	ri
nous	rîmes	nous	eûmes	ri
vous	rîtes	vous	eûtes	ri
ils	rirent	ils	eurent	ri

Futur simple		Futur antérieur		
Je	rirai	J'	aurai	ri
tu	riras	tu	auras	ri
il	rira	il	aura	ri
nous	rirons	nous	aurons	ri
vous	rirez	vous	aurez	ri
ils	riront	ils	auront	ri

CONDITIONNEL

Présent

Je	rirais
tu	rirais
il	rirait
nous	ririons
vous	ririez
ils	riraient

Passé 1re forme

j' aurais ri
tu aurais ri
il aurait ri, etc.

Passé 2e forme

j' eusse ri
tu eusses ri
il eût ri, etc.

IMPÉRATIF

Présent

Ris
rions
riez

Passé

Aie ri
ayons ri
ayez ri

SUBJONCTIF

Présent

Que je	rie
que tu	ries
qu'il	rie
que n.	riions
que v.	riiez
qu'ils	rient

Imparfait

Que je	risse
que tu	risses
qu'il	rît
que n.	rissions
que v.	rissiez
qu'ils	rissent

Passé

Que j'	aie	ri
que tu	aies	ri
qu'il	ait	ri
que n.	ayons	ri
que v.	ayez	ri
qu'ils	aient	ri

Plus-que-parfait

Que j'	euss	ri
que tu	eusses	ri
qu'il	eût	ri
que n.	eussions	ri
que v.	eussiez	ri
qu'ils	eussent	ri

INFINITIF

Présent	Passé
Rire	Avoir ri

PARTICIPE

Présent	Passé
Riant	Ri ayant ri

Nota. — Remarquer les deux i de suite aux deux premières persnnes du pluriel de l'imparfait et du présent de subjonctif.

VERBES EN –IRE: CONFIRE

INDICATIF

Présent		*Passé composé*		
Je	confis	J'	ai	confit
tu	confis	tu	as	confit
il	confit	il	a	confit
nous	confisons	nous	avons	confit
vous	confisez	vous	avez	confit
ils	confisent	ils	ont	confit

Imparfait		*Plus-que-parfait*		
Je	confisais	J'	avais	confit
tu	confisais	tu	avais	confit
il	confisait	il	avait	confit
nous	confisions	nous	avions	confit
vous	confisiez	vous	aviez	confit
ils	confisaient	ils	avaient	confit

Passé simple		*Passé antérieur*		
Je	confis	J'	eus	confit
tu	confis	tu	eus	confit
il	confit	il	eut	confit
nous	confîmes	nous	eûmes	confit
vous	confîtes	vous	eûtes	confit
ils	confirent	ils	eurent	confit

Futur simple		*Futur antérieur*		
Je	confirai	J'	aurai	confit
tu	confiras	tu	auras	confit
il	confira	il	aura	confit
nous	confirons	nous	aurons	confit
vous	confirez	vous	aurez	confit
ils	confiront	ils	auront	confit

CONDITIONNEL

Présent	
Je	confirais
tu	confirais
il	confirait
nous	confirions
vous	confiriez
ils	confiraient

Passé 1re forme

J' aurais confit
tu aurais confit
il aurait confit, etc.

Passé 2e forme

J' eusse confit
tu eusses confit
il eût confit, etc.

IMPÉRATIF

Présent

Confis
confisons
confisez

Passé

Aie confit
ayons confit
ayez confit

SUBJONCTIF

Présent		*Imparfait*	
Que je	confise	Que je	confisse
que tu	confises	que tu	confisses
qu'il	confise	qu'il	confît
que n.	confisions	que n.	confissions
que v.	confisiez	que v.	confissiez
qu'ils	confisent	qu'ils	confissent

Passé			*Plus-que-parfait*		
Que j'	aie	confit	Que j'	eusse	confit
que tu	aies	confit	que tu	eusses	confit
qu'il	ait	confit	qu'il	eût	confit
que n.	ayons	confit	que n.	eussions	confit
que v.	ayez	confit	que v.	eussiez	confit
qu'ils	aient	confit	qu'ils	eussent	confit

INFINITIF

Présent	*Passé*
Confire	Avoir confit

PARTICIPE

Présent	*Passé*
Confisant	Confit, ite ayant confit

Nota. — L' Académie ne donne point l'imparfait du subjonctif.

VERBES EN –UIRE : CUIRE

INDICATIF

Présent	
Je	cuis
tu	cuis
il	cuit
nous	cuisons
vous	cuisez
ils	cuisent

Passé composé		
J'	ai	cuit
tu	as	cuit
il	a	cuit
nous	avons	cuit
vous	avez	cuit
ils	ont	cuit

Imparfait	
Je	cuisais
tu	cuisais
il	cuisait
nous	cuisions
vous	cuisiez
ils	cuisaient

Plus-que-parfait		
J'	avais	cuit
tu	avais	cuit
il	avait	cuit
nous	avions	cuit
vous	aviez	cuit
ils	avaient	cuit

Passé simple	
Je	cuisis
tu	cuisis
il	cuisit
nous	cuisîmes
vous	cuisîtes
ils	cuisirent

Passé antériur		
J'	eus	cuit
tu	eus	cuit
il	eut	cuit
nous	eûmes	cuit
vous	eûtes	cuit
ils	eurent	cuit

Futur simple	
Je	cuirai
tu	cuiras
il	cuira
nous	cuirons
vous	cuirez
ils	cuiront

Futur *antérieur*		
J'	aurai	cuit
tu	auras	cuit
il	aura	cuit
nous	aurons	cuit
vous	aurez	cuit
ils	auront	cuit

CONDITIONNEL

Présent	
Je	curais
tu	cuirais
il	cuirait
nous	cuirions
vous	cuiriez
ils	cuiraient

Passé 1re forme

J' aurais cuit
tu aurais cuit
il aurait cuit, etc.

Passé 2e forme

J' eusse cuit
tu eusses cuit
il eût cuit, etc.

IMPÉRATIF

Présent

Cuis
cuisons
cuisez

Passé

Aie cuit
ayons cuit
ayez cuit

SUBJONCTIF

Présent	
Que je	cuise
que tu	cuises
qu'il	cuise
qu. n	cuisions
que v.	cuisiez
qu'ils	cuisent

Imparfait	
Que je	cuisisse
que tu	cuisisses
qu'il	cuisît
que n.	cuisissions
que v.	cuisissiez
qu'ils	cuisissent

Passé		
Que j'	aie	cuit
que tu	aies	cuit
qu'il	ait	cuit
que n.	ayons	cuit
que v.	ayez	cuit
qu'ils	aient	cuit

Plus-que-parfait		
Que j'	eusse	cuit
que tu	eusses	cuit
qu'il	eût	cuit
que n.	eussions	cuit
que v.	eussiez	cuit
qu.ils	eussent	cuit

INFINITIF

Présent	*Passé*
Cuire	Avoir cuit

PARTICIPE

Présent	*Passé*
Cuisant	Cuit, uite ayant cuit

VERBE **FRIRE**

<table>
<tr>
<td rowspan="2">INDICATIF
Présent
Je fris
tu fris
il frit

pas de pluriel</td>
<td>Futur
je frirai,
etc.</td>
<td rowspan="2">IMPÉRATIF
Présent
fris

pas de pluriel</td>
<td>INFINITIF
Présent
Frire</td>
</tr>
<tr>
<td>CONDITIONNEL
Présent
Je frirais,
etc.</td>
<td>PARTICIPE
Passé
Frit, frite.</td>
</tr>
</table>

Les formes eh italique sont rares.

Les temps composés se forment normalement avec l'auxiliaire *avoir* et le participe passé *frit, frite.*

Aux temps où le verbe **frire** est défectif, on lui substitue le verbe **faire frire,** du moins quand **frire** devrait être employé au sens transitif: *ils font frire du poisson.*

Le verbe **frire** est souvent employé au sens intransitif: *le beurre* **frit** *dans la poêle.*

3
Liste alphabétique des verbes usuels

(avec renvois aux tableaux des verbes types)

TABLE ALPHABÉTIQUE

DE TOUS LES VERBES USUELS

ABRÉVIATIONS ET SIGNES

Les chiffres placés à la suite des verbes de la liste alphabétique renvoient aux tableaux de conjugaison où se trouvent les verbes modèles servant conjuguer chacun d'eux.

Ex.: Acheter t,... 23: à conjuguer sur *modeler. p.* 23. **rég.** ou **rg.** = régulier, c'est-à-dire:

verbe en **-er** se conjuguant sur **aimer** (p. 16);
verbe en **-ir** se conjuguant sur **finir** (p. 32) ;
verbe en **-re** se conjuguant sur **rendre** (p. 66)

t. = transitif direct.
ti. = transitif indirect
i = intransitif.
pr. = pronominal.

*= Les verbes *précédés d'un astérisque* ont vieilli ou appartiennent à la langue populaire; ils sont à éviter.
•= Les verbes intransitifs affectés de ce signe peuvent se conjuguer avec l'auxiliaire *avoir* ou avec l'auxiliaire *être* (voir ci-dessous).

Nota. — Pour l'emploi de l'auxiliaire *avoir* ou être, on observera la règle suivante:

1. Se conjuguent **avec** l'auxiliaire **avoir:**
a) tous les verbes transitifs (directs ou indirects) à la forme active.
b) les verbes intransitifs qui ne sont suivis d'aucune mention particulière; c'est le plus grand nombre.
2. Se conjuguent avec l'auxiliaire **être:**
a) tous les verbes pronominaux;
b) tous les verbes transitifs à la forme passive;
c) les verbes intransitifs suivis de la mention (aux. être).
Ex. : Venir, i (aux. être); on doit dire *je* suis *venu* et non *J'ai venu.*

3. Se conjuguent tantôt avec l'auxiliaire **être** et tantôt **avec** l'auxiliaire **avoir** les verbes intransitifs qui sont suivis du signe•. Ex.: divorcer, i.•.; on dirá, suivant le cas, *il a divorcé* ou *il est divorcé.* D'ordinaire l'auxiliaire **avoir** exprime l'action, l'auxiliaire **être** indique le résultat de cette action.

A

(1) **Abonnir, rabonnir, hennir** et **honnir,** sont les seuls verbes en **-nir** qui prennent deux n; tous les autres s'écrivent avec un seul n.
(2) **Accroire** ne s'emploie qu'à l'infinitif et il est toujours accompagné du verbe **faire.**
(3) **Accroître** ne prend pas l'accent circonflexe aux formes suivantes; j'accrois, tu accrois, j'accrus, tu accrus, il accrut, ils accrurent, accru.

(1) Agripper et gripper sont lês deux seuls verbes de cette terminaison qui prennent deux o.

(1) **Apparaître** et **disparaître,** disent les grammairiens et l'Académie, emploient indifféremment les deux auxiliaires **être** et **avoir** avec le participe.
Nous croyons qu'on emploie indifféremment les deux auxiliaires: mais que cependant il est mieux de choisir autant que possible et d'employer *avoir* si l'on considère l'action, et *être* sí l'on considére le résultat. Au surplus, voíci quelques exemples: *Les montagnes* où *les patriarches avaient sacrifié à Dieu, et où il leur* **était apparu** (Bossuet). *Les patriarches lui dressérent des autels en certains endroits où il leur* **avait apparu** (Massillon). *Des spectres lui* **sont apparus** ou lui **ont apparu** (Académie). Elle m'**est apparue** *avec trop d'avantage* (Racine). *Cet homme m'***est apparu** *ou moment où je le croyais bien loin* (Académie).
(2) **Apparoir**, terme employé surtout au Palais de justice (être évident. resulter de), n'est plus usité qu'à l'infinitif et à la 3e personne du singulíer de l'indicatif présent: *Il appert.*
(3) Remarque = **Asservir** se conjugue régulièrement sur **finir,** et non sur **servir.**

B

(1) Remarque = **Assortir** le conjugue régulièrement sur **finir**, et non sur **sortir.**

(2) On évitera de confondre **bâiller** et **bailler** (sans accent). *Bâiller,* avec un accent circonflexe sur l'a, signifie: *ouvrir involontairement la bouche par lassitude, par ennui, par envie de dormir: On* **bâille** *souvent* en *voyant* **bâiller** *les autres. On ne sifflait pas, on* **bâillait** *à cette pièce.* — Il signifie aussi: «s'entr'ouvrir, être mal joint»: *Cette croisée* **bâille**, *ce panneau* **bâille.**

Bailler, sans accent sur l'a, est un terme de palais qui signifie: *donner, fournir, livrer:* **Bailler** *à ferme,* **bailler** *par contrat,* bailler *caution.* — On dit aussi: *la* **bailler** *belle,* au sens de: en *faire accroire.*

(1) **Bénir.** — Le verbe **bénir** a deux participes passés :
1° **Benit, bénite,** qui se dit des choses consacrées par les prières de l' Église: Du pain **bénit,** de *l'eau* **bénite;**
2° **Béni, benie,** qui s'emploie dans tous les autres cas: *Vous êtes* **bénie** *entre toutes les femmes.*

(1) **Bruire** n'a que les formes suivantes:

Indicatif. *Présent.* Il bruit.

Imparfait: Il bruyait, ils bruyaient.

Infinitif *Présent:* Bruire.

Des écrivains renommés font de ce verbe un usage moins restreint et le conjuguent à l'imparfait, au subjonctif présent et au participe présent sur **finir**. *Les serpents à sonnettes* **bruissaient** *de toutes parts* (Chateaubriand). *Il n'y a pas une feuille qui fremisse, pas un insecte qui* **bruisse** *sous l'herbe immobile* (Ch. Nodier) L'usage a fini par faire adopter ce néologisme, mais dans un sens qui n'est pas absolument le même que le primitif de ce verbe, et c'est une richesse de plus ajoutée à la langue En revanche le verbe **bruisser** se soutient difficilement.

(1) **Chaloir** a vieilli et ne s'emploie qu'impersonnellement: il ne se dit guère que dans des locutions comme: *Il ne m'en chaut ou peu m'en chaut* = je ne m'en soucie pas.

(1) **Circoncire** fait au participe passé *circoncis, ise.*
(2) **Comparoir,** v. int. Terme de pratique qui n'est guère usité que dans ces phrases: *Être assigné à* **comparoir**; *recevoir une assignation à* **comparoir**; être assigné à se présenter en justice. Il a vieilli. On dit aujourd'hui: *comparaître.*
(3) Le participe passé de **complaire,** se **complaire,** est toujours invariable.

(1) Le participe présent de **convaincre** est **convainquant**; dans l'adjectif: **convaincant,** lês lettres **qu** sont remplacées par um **c**.
(2) **Convenir** prend l'auxiliaire avoir quand il signifie: *être propre, sortable, plaire: Cette place lui* **aurait** *bien* **convenu.** *Cette maison m'***a convenu** (Académie).
Convenir, quand il signifie: *demeurer d'accord,* faire *un accord, une convention,* prend l'auxiliaire **être**: *Il* **est convenu** *de sa méprise. Ils* **sont convenus** *de se trouver em tel lieu* (Académie).

D

(1) **Décroître** ne prend pas l'accent circonflexe aux formes suivantes: **je décrois,** tu décrois, je décrus, tu décrus, il décrut, ils décrurent, **décru.**

(1) Les formes: je *défaillirai*, je *défaillirais*, ne sont pas recommandables, mais ne sauraient être qualifiées de barbares, dit la récente Grammaire de *l'Académie*.

(2) Il faut bien se garder de dire **désagrafer,** au lieu de **bègrafer,** comme cela se pratique parmi le peuple. *Desagrafer* n'est pas français.

(1) S'emploie avec l'aux. **être** au sens de s'*arrêter, rester:* avec l'aux, avoir au sens *d'habiter tarder*
(2) Est conjugué parfois sur *finir,* p. 32.
(1) **Dépourvoir** ne s'emploie qu'au passé simple, à l'infinitif, au participe passé et aux temps composés: *Il le* **dépourvut** *de tout. Il nous* a **dépourvus** *de tout.* Il s'emploie surtout pronominalement: **Je me suis dépourvu** *pour vous de tout.*

(1) **Disconvenir** se conjugue avec l'aux. **être** au sens de *ne pas convenir d'une chose, la nier,* avec l'aux. **avoir** au sens de *ne pas convenir à.*
(2) **Disparaître,** comme *apparaître,* prend l'auxiliaire avoir ou l'auxiliaire être. On peut le considerer, tantôt comme exprimant une action, tantôt comme exprimant un état résultant d'une action. Quand je dis: *Le jour commence à* **disparaître**, j'exprime évidemment le commencement d'une action; et quand je dis: *Le jour* a **disparu**, j'exprime cette action comme entièrement faite. Mais faisant abstraction de l'action, je puis considérer le jour comme ne paraissant plus, par suite de l'action d'avoir disparu; alors j'exprime un état, et je dis: *Le jour* **est disparu.**

Voici des exemples de l'un et de l'autre emploi: *Il* **a disparu** *de son domicile. Elle* **disparu** *avec* lui. *L'argent qui était sur cette table* **a disparu, est disparu** (Academie). *Elle était sans cesse tournée vers le côté où le vaisseau d'Ulysse fendant les ondes,* **avait disparu** *à ses yeux* (Fénelon). *Tous les peuples qui* **ont** *paru et* **disparu** *dans l'univers* (Massillon).

Et de quelque côté que je tourne la vue,
La fol de tous les coeurs **est** pour moi **disparue.** (Racine).

(1) **Échapper** veut toujours l'aux. avoir au sens de *n'être pas saisi, compris.*

(1) **Émouvoir** se conjugue sur *mouvoir,* mais son participe passé masculin singulier: *ému,* ne prend pás d'accent circonflexe.

(2) **Enclore** a les formes: *nous enclosons, vous enclosez;* de même **renclore.**

(1) **S' ensuivre** ne s'emploie *qu'aux troisièmes* personnes de chaque temps:
(2) **S' entradmirer, s'entraccuser,** etc. se conjuguent sur les simples *admirer, accuser...*

(1) Usité à l'infinitif seulement

(1) **Extravaguer** a pour participe présent régulier: **extravaguant**; L'adjectif: **extravagant**, avec lequel il ne faut pas le confondre, ne prend pas d'**u** après le **g.**

(2) **Fabriquer** fait régulièrement: **fabriquant** au participe présent. Ne pas confondre avec le substantif **fabricant** qui s'écrit avec **c** sans **u.**

(3) **Fatiguer a** pour participe présent régulier: **fatiguant.** Ne pas confondre avec l'adjectif **fatigant,** qui ne prend pas d'**u** après le **g**.

(4) **Férir,** qui a vieilli, ne s'emploie plus qu'à l'infinitif présent, dans la locution: *sans coup* **ferir.**

On trouve dans de vieux auteurs: il *fiert,* pour la troisième personne du présent de l'indicatif; le substantif composé *fier-à-bras* pourrait bien en dériver.

(5) **Fleurir** signifiant: *être en fleur,* est régulier: *L'aubépine* **fleurissait** *déjà.*

Mais, dans le sens de: *prospérer,* **fleurir** fait **florissant** au participe présent et **florissait** à l'imparfait: *L'industrie* **florissait** *grâce à Colbert. L 'empire devient* **florissant.**

(1) **Forclore** ne s'emploie qu'à l'infinitif et au participe passé: **forclos.**
(2) **Forfaire** ne s'emploie qu'à l'infinitif et aux temps composés: **J'ai forfait...**

(1) Le verbe **grasseyer** conserve obligatoirement l'y dans toute la conjugaison: il suit donc le verbe **aimer.** Le radical est **grassey.**

(2) **Gripper** et **agripper** sont les deux seuls verbes de cette terminaison qui prennent deux **p.**

I

(1) **Inclure** se conjugue sur **conclure** (p.89), mais au participe passé il fait: *inclus,* avec un s; fém.: *incluse.*

J

K

L

(1) **Issir** — Cet ancien verbe n'est plus d'**usage** qu'au participe passé issu. On ne se sert de ce dernier que pour signifier: *venu, descendu d'une personne ou d'une race: De ce mariage* **sont issus** *tant d'enfants.* **Issu** *du sang des rois.* (Académie.)

(1) Le verbe **langueyer** conserve obligatoirement l'y dans toute sa conjugaison; il suit donc le verbe **aimer.** Le radical est **languey.**
(2) **Luire** se conjugue sur cuire (p. 97), mais: 1° le passé simple *je luisis* est supplanté par: *je luis... ils luirent*; 2° le participe passé est: lui (**sans t**).
(3) **Malfaire,** *faire de méchantes actions ou du mal*, n'est usité qu'à l'infinitif: *être enclin à* **malfaire.** *Il ne se plaît qu'à* **malfaire** (Académie). *Celui qui veut* **malfaire** *trouve toujours une cause* (P. Syrus).

(1) **Méfaire,** *nuire, faire tort, faire prejudice, faire le mal,* ne s'emploie plus guère qu'à l'infinitif. *Il ne faut ni* **méfaire** *ni médire* (Académie).

(1) On évitera de confondre le participe présent: **négligeant,** et l'adjectif: **négligent**, qui ne prend pas d'a après **ge.**

(2) **Nuire** se conjugue sur cuire (p. 97), mais le participe passé est: *nui* (sans t).

(3) **Occire** a vieilli et ne s'emploie plus guére qu'à l'infinitif présent, au participe passé: **occis, occise,** et aux temps composés.

(4) **Occlure** fait au participe passé *occlus.*

(1) **Paraître,** dans ses temps composés, emploie l'auxiliaire **avoir** ou **être.**
Le participe passé **paru** est invariable. Dites: *La troisième livraison de ce recueil n'a pas encore* **paru,** et non pas: *n'est pas encore* **parue**: on dit: *Il* **a paru** *déjà plusieurs livraisons,* mais il est peu correct de dire: *Il y a déjà plusieurs livraisons de* **parues.**
(2) **Parfaire:** *achever,* n'est guère usité qu'au présent de l'indicatif, au présent de l'infinitif et au participe passé: *L'homme perfecctionne, mais ne* **parfait** *jamais* (De Lévis). *pour* **parfaire** *un ouvrage, il ne faut jamais le regarder comme* **parfait** (Boiste)
(3) **Partir**, tr., signifiant *partager,* n'a plus que l'infinitif présent et le participe passé.

(1) **Persifler,** bien qu'il vienne de **siffler** (2 f), n'a qu'un seul f. Il en est de même de *persiflage, persifleur.*

(1) **Poindre** au sens intransitif de *commencer* à *paraître* ne s'emploie qu'à la 3e personne de l'indicatif présent et du futur. Au sens transitif de *piquer* (rare) il cède la place à **poigner** (reg. p. 16).

(2) **Pourvoir** se conjugue sur voir (p. 52) sauf:

1° au futur simple où il fait: *Je pourvoirai, tu pourvoiras*

2° au conditionnel présent, où il fait: *Je pourvoirais, tu pouvoirais...*

3° au passé simple, ou il fait: *Je pourvus, tu pourvus...*

4° au subjonctif imparfait, qui est: *Que je pourvusse, que tu pourvusses...*

(3) **Prévaloir** se conjugue comme ***valoir,*** excepté au subjonctif présent, où il fait: *Que je prévale, que tu prévales, qu'il prévale, que nous prévalions, que vous prévaliez, qu'ils prévalent. Il ne faut pás que la coutume* **prévale** *sur la raison* (Académie).

(4) **Prévoir** se conjugue comme **voir** *(p. 52),* mais fait au futur: *Je prévoirai, tu prévoiras, il prévoira, naus prévoirons, vous prévoirez, ils prévoiront;* et au conditionnel: *Je prévoirais, tu prévoirais, il prévoirait, nous prévoirions, vous prévoiriez, ils prévoiraient,* et non: *je prévarrai, je préverrais...*

(1) **Promouvoir** se conjugue sur *mouvoir,* mais son participe passé: *promu,* ne prend pás d´accent circonflexe au masculin singulier. Ce verbe s´emploie guère qu´à l´infinitif, au participe présent et aux temps composés. On dit cependant: *Cet ecclésiastique mérita que le pape le* **promût** *cardinal.*
(2) **Quérir** ne s'emploie plus aujourd'hui qu'à l´infinitif; encore est-il-même peu usité. On dit plutôt: *chercher.*

(1) **Ravoir** n'est usité qu'au présent de l'infinitif.

(1) **Reclure** n´est employé qu´à l´infinitif et aux temps composés. Participe passé: *Reclus,* avec um s; fém.: *recluse.*

(1) **Reluire** se conjugue sur **cuire** (p. 97), mais : 1° le passé simple : *je reluisis* est supplanté par *je reluis... ils reluirent*, 2° le participe passé est relui (**sans t**).
(2) **Renaître** n'a pas de participe passé; il n'a donc pas de temps composés.

(1) **Repartir,** signifiant: *répliquer, répondre sur-le-champ et vivement*, suit le modèle de *mentir;* il prend l´auxiliaire **avoir** dans sés temps composés: *Il ne lui* **a reparti** *que des impertinences.* Pour lês autres sens, voir **repartir**, page suivante.

(2) **Repartir,** signifiant: *retourner* ou *partir de nouveau,* se conjugue comme *mentir,* dans sés temps simples, mais prend l´auxiliaire être dans ses temps composés: *Je suis* **reparti** *aussitôt après le dîner.*

(3) **Répartir,** signifiant: *partager, distribuer,* est régulier, et se conjugue comme *finir.*

(4) **Résoudre** fait au participe passé: **résolu,** *résolue.* Il a un autre participe: **résous,** qui n´est usité qu´en parlant des choses qui se changent, qui se convertissent em d´autres; mais il n´y a point de féminin: *Brouillard* **résous** *en pluie. Le soleil a* **résous** *le brouillard.* A la différence de *absoudre,* il a un passé simple: **je résolus.**

(1) **Ressortir** = *sortir de nouveau,* se conjugue sur *sortir.*
(2) **Ressortir** = *être du ressort, de la dépendance ou de la compétence* d'une juridiction quelconque, se conjugue régulièrement sur finir: *Il ressortit, il ressortissait, ressortissant. Mon affaire* **ressortit** *du juge de paix* (Académie)

(1) **Sortir** (*t*), signifiant, en termes de jurisprudence: *obtenir, avoir,* se conjugue comme *finir,* mais n´est d´usage qu´à la troisième personne: *Il sortit, ils sortissent, il sortissait. L´entends que cette clause* **sortisse** *son plein et entier effet.* Il ne faut pas confondre ce mot, du reste assez peu usité, avec sortir *(i;* aux. **être**), signifiant : *aller dehors, s´en aller,* qui se conjugue sur *mentir, p. 42.*

(2) **Sourdre** n´est usité qu´à l´infinitif présent: **sourdre,** et à la 3ª personne du singulier de l´indicatif présent: **il sourd.**

Chevreul a écrit: *sourdent;* Malte-Brun et H. de Balzac ont employé: *sourdit,* au passé simple; *sourdait* a pour lui l´autorité de Chateaubriand. Ils n´ont pás été suivis et ces formes doivent être considérées comme des barbarismes et poscrites.

(3) **Suffire** se conjugue sur **confire.** Remarquer toutefois que le participe passé de *suffire* **est** *suffi.* Il ne prend pas de t, alors que *confit* en a un.

(1) **Remarque.** — Le participe passé de **taire** est : tu, tue, variable. Ce verbe est peu usité au passif. Ainsi, au lieu de dire: *Ces faits* ont **été tus** *de tous ceux qui en avaient connaissance,* il vaut mieux dire: *Tous ceux qui avaient eu connaissance de ces faits les* **ont tus.** A la différence de **plaire,** on écrit sans accent circonflexe: *il tait.*

(1) Le verbe **tistre** (synonyme de **tisser**) a complètement vieilli et ne se rencontre plus qu´au participe passé: **tissu, tissue,** et à tous les temps composés.

Indicatif.	*Passé composé:* J´ai tissu.	*Passé antérieur:* l´eus tissu.
	Plus-que-parfait: J´avais tissu.	*Futu antérieur:* l´aurai tissu.
Conditionnel.	*Passé:* J´aurais tissu ou j´eusse tissu.	
Subjonctif.	*Passé:* Que j´aie tissu.	*Plus-que-parfait Que j´eusse tissu.*
Infinitif.	Avoir tissu.	
Participe.	Tissu, ue.	Ayant tissu.

Nota. — Au figuré, il signifie: *conduire, mener.* C´est lui qui **a tissu** cette intrigue.

(1) **Venir,** et tous sés composés autres que *circonvenir, contrevenir, prevenir* et *subvenir,* prennent l´auxiliaire **être** dans les temps composés. (Pour *convenir,* voir p. 109.)

Este livro foi composto com a tipografia Arial
e impresso pela Meta Brasil.